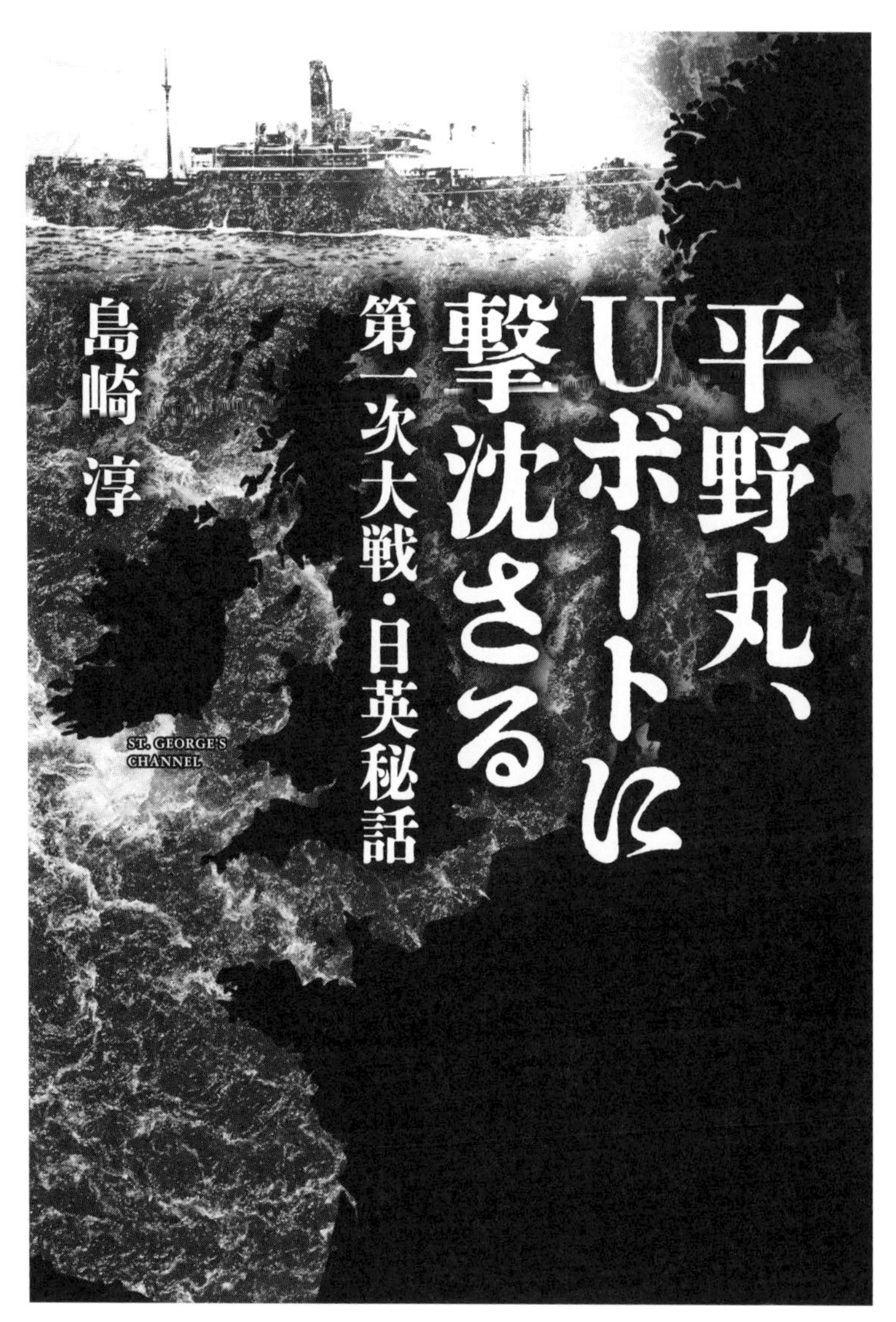

五月書房

平野丸（日本郵船歴史博物館提供）

撃沈された平野丸の航路

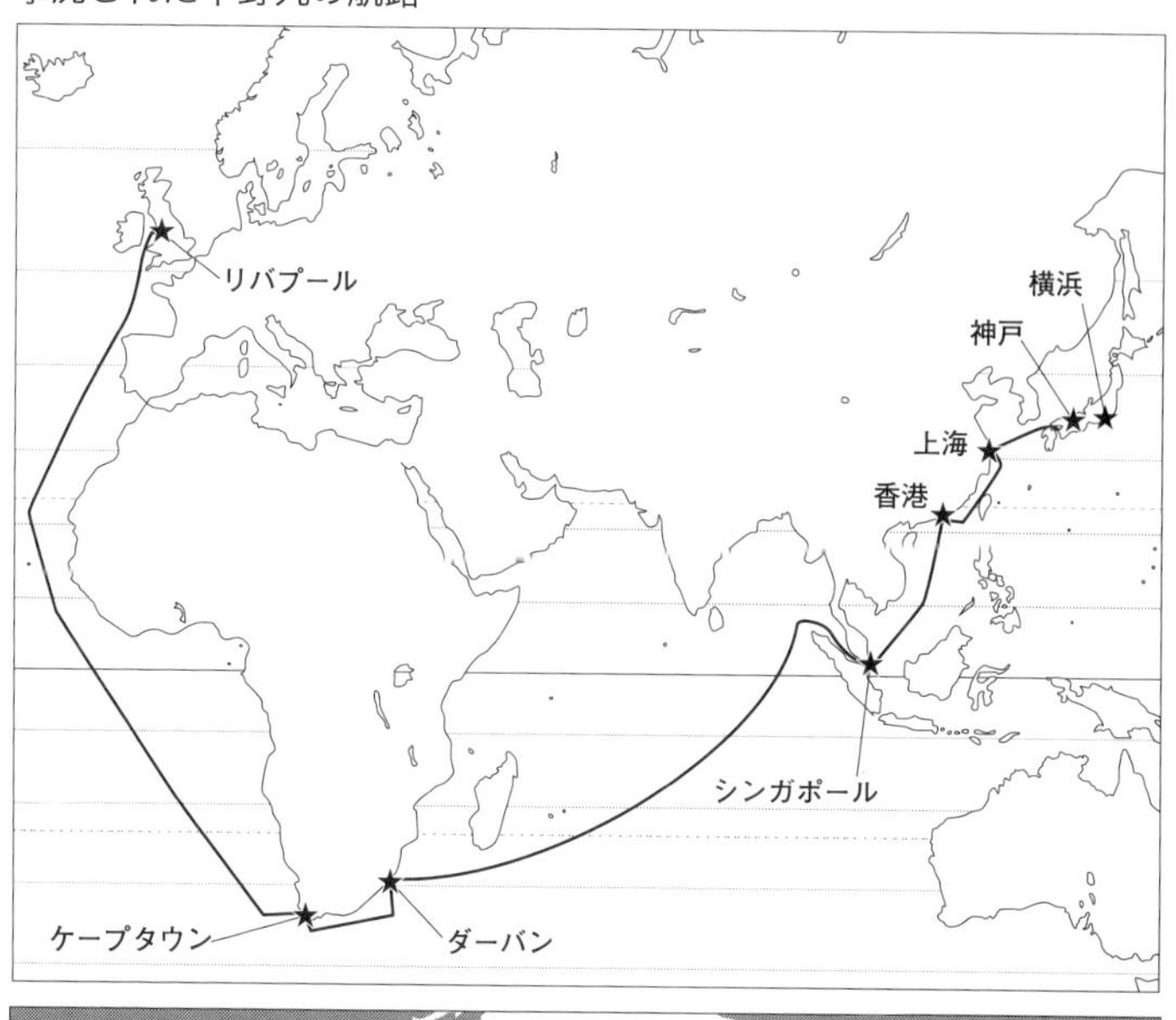

目次

3

荒天の中で……49

4 犠牲者たちの群像……83

5

6

7

第一次世界大戦と日本……171

平野丸、Uボートに撃沈さる

第一次大戦・日英秘話

島崎 淳

1 はじめに

毎年10月から11月初旬にかけて、英国はポピー（ひなげし）の赤い花一色に染まる。ポピーは本来、もっと早い季節に咲くのだが、11月の戦没者追悼式典に合わせて、たくさんの人々が上着の襟にポピーの飾りを付けるのだ。第一次世界大戦で、ベルギー北部からフランス北部にかけてのフランダース地方の戦場で咲き乱れていた真っ赤なポピーは、流された兵士の血を想起させ、英国では戦争犠牲者を悼（いた）むシンボルになっている。英国在郷軍人会が地下鉄の駅などでバケツを持って退役軍人らへの募金を呼び掛け、応じてくれた人たちにポピーの造花の襟章が渡される。そして、第一次世界大戦の休戦記念日である11月11日に近い第2日曜日は、「リメンブランス・サンデー」と呼ばれ、ロンドンの官庁街ホワイトホール地区で、政府主催の追悼式典が行われる。

第一次大戦、第二次大戦とも戦勝国になった英国には、ドイツを降伏させた「欧州戦勝記念日」（VEデー）や「対日戦勝記念日」（VJデー）もあるが、リメンブランス・サンデーは二つの大戦だけでなく、その後の戦争も含めた犠牲者を悼む日になっている。同時に、市民らによる戦時の協力に感謝する記念日として、盛大な式典が行われる。式典には、国王を始めとする王室メンバーや退役軍人のほか、歴代首相や主要政党の党首、各国大使、宗教関係者らがずらりと並ぶ。インドやネパール、ケニアなど旧植民地の代表の姿も見ることができる。

元首相ウィンストン・チャーチルの像がある英議会前のパーラメント・スクエアと、トラファルガー広場の間に、英国と植民地などの戦没者追悼記念碑、セノタフがある。「The Glorious Dead」（栄光ある死者）と刻まれた高さ11メートルの石造りで、1920年に建立された。リメンブランス・サンデーの午前11時になると、ビッグベンの鐘の音と空砲に合わせて2分間の黙祷の後、国王や政府要人らが順番に赤いポピーの造花の花輪をセノタフに捧げ、頭(こうべ)を垂れる。本来祝うべき戦争終結の記念日に、犠牲となった多くの人々に思いを致し、愛する人を失った家族や遺族はその悲しみを新たにするのだ。

共同通信社のロンドン支局長として英国に駐在していた2017年、テレビ中継されたリメンブランス・サンデーの荘厳な鎮魂の式典を見ていて、出席していたエリザベス女王（当時）が涙を見せたことに気がついた。どのような感情がこみ上げてきたのか、女王の気持ちは知るよしもない。だが、英国にとって第一次大戦やリメンブランス・サンデーは、女王が涙を流すほどの大きな意味があるのだと痛感させられた出来事だった。

私たち日本人にとって戦争といえば、第二次大戦、太平洋戦争のことだ。日本中の都市が焦土と化し、広島・長崎は原爆投下で壊滅、沖縄では熾烈な地上戦が展開された。大陸や南方の戦場に向かった男性も、銃後の守りを固めた女性も、あらゆる世代の人生を大きく左右した。それに比べ、第一次大戦については参戦国だった意識が日本では極めて薄い。英国と日本の違いは何なのだろう。日本にとって第一次大戦とはどんな意味があったのだろうか。

そうしたことを考えていたところで、偶然に平野丸の史実を知ることになった。ちょうど、翌年に第一次大戦の休戦協定締結から100年を迎えるタイミングだった。平野丸は、第一次大戦末期の1918年10月4日、英国とアイルランドに挟まれたセントジョージ海峡で、ドイツの潜水艦（Uボート）に撃沈された日本郵船の貨客船だ。乗客と乗組員計240人のうち210人が死亡し、多くの遺体が英国ウェールズの沿岸に流れ着いた。ウェールズ南部では地元住民がその遺体を引き上げ、小さな教会の裏手に手厚く葬った。当時、木の墓標が建てられたが、長い年月が経過する中で墓標は失われ、行方(ゆくえ)知れずとなっていた。

ウェールズの郷土史家、デービッド・ジェームズさん（80）が「死者が放置されているのは正しくない」と、新たな慰霊碑建立の募金活動を自ら始めた。そして、平野丸が撃沈されてちょうど100年となる2018年10月4日に除幕式を行うことを計画した。日本郵船社内でさえ、ウェールズの片田舎に墓標があったことは、「忘れられた史実」となっていた。

それを報じた私の記事は、全国の共同通信加盟新聞社の紙面に掲載され、たまたま記事を目にされた乗客のご遺族の一人から連絡があった。平野丸に乗り合わせて犠牲となった海軍主計少監、山本新太郎の孫、東京都小金井市の中村良子（よしこ）さん(72)だった。中村さんは祖父らの霊を慰め、デービッド・ジェームズさんに直接お礼を伝えるため、病弱な身体を押して英国にわざわざ足を運び、除幕式に出席した。

ロンドンのホワイトホール地区にある戦没者追悼記念碑、セノタフ

ジェームズさんや中村さんの話を聴くうちに、100年前、欧州航路の客船に乗っていた乗客たちはどのような人たちだったのだろうか、という思いが膨らんできた。帰国後、中村さんに山本家の人々についての詳しい話を聴き、平野丸に関する史料を探し、できることならば遺族と会ってみたいという思いが募った。

撃沈されたのは、休戦協定締結に向け

た動きが始まり、協定調印のわずか1カ月前の出来事だった。犠牲者本人たちはもちろん、残されたご遺族も、さぞかし無念の思いだっただろう。日本人乗客は皆、長い海外勤務や視察旅行を終えて日本に戻る途中だった。一人一人の家族が日本で帰りを待ちわびていた。日本人以外の南アフリカ、シンガポール、中国などの乗客も事情は同じで、故郷に残した家族との再会を心待ちにしていただろう。乗組員たちも同様であることは言うまでもない。

平野丸に関する史料を外務省外交史料館や国立公文書館アジア歴史資料センター、防衛省防衛研究所などで探した。国立国会図書館では平野丸の悲劇を報じた当時の新聞を読むことができた。海事関係者や歴史家には平野丸撃沈の史実は知られているものの、詳細でまとまった記録はないことが分かった。

調べていくうちに、日英同盟を理由に積極的に参戦した日本の第一次大戦へのかかわりが見えてきた。日本の関与は、中国山東半島のドイツの膠州湾租借地(青島(チンタオ))や、ドイツ領だった南洋諸島の占領が有名だが、大日本帝国の海軍は地中海にまで艦隊を派遣している。日露戦争を経て、列強に肩を並べるようになり、「一等国意識」が芽生え始めたころの日本の姿が浮き上がってきた。

平野丸という船は、明治以降の近代化、殖産興業のスローガンの下で海運業が発展し、それによって国力を付けていった当時の日本を象徴する存在だった。時は人や物がグローバルに移動する時代を迎えていた。さらに、平野丸の悲劇が起きた1918年という年は、新型コロナウイルス感染症の世界的な拡大に見舞われた現代の我々と同様、スペイン風邪が世界的に流行した時期だった。

乗船者の名簿なども入手し、断片的ながら乗客、乗組員の名前が少しずつ分かってきた。ただ、名前だけではその人がどこで生を受け、どのような暮らしをしていたのか、具体的なことは分からない。そんな中で入手したのが、第一次大戦で被害を受けた日本人乗客や乗組員やその遺族が、「救恤」と呼ばれる制度に基づいて、政府に見舞金を求めた申請書だった。そこには平野丸に乗っていた日本人の名前、本籍、失った所持品のリストなどの記載があった。この文書の存在を知ってから、詳細な情報を調べ、遺族を探す私の長い旅が始まった。

ジェームズさんは100年前の戦争犠牲者の霊を慰めるため、慰霊碑建立を果たした。私はジャーナリストとして、縁をもらった平野丸の悲劇について、詳しく記録を残すことが自分の仕事なのではないかと考えた。そうすることが、はるか昔の事件を忘れず、遠い日本の犠牲者を弔おうと立ち上がったウェールズの善意の人々の気持ちにも応えることになるのではないかという思いに至った。同時に、忘れられてしまった犠牲者の生きた証しを記録として残したいと強く思うようになった。今、日本と英国の絆を巡る100年前と現代の物語を紡ぐことが、未来を見据えて、遠く離れた両国の人たちをつなぐことになると確信している。

※本書では資料の直接引用においては、漢字を新字体に改め、仮名は現代仮名づかいでひらがなに変えた。肩書、年齢はいずれも当時のもので、故人については一部の例外を除き、敬称略とした。

2 慰霊碑建立

埋葬記録に日本人

まだ寒さが残る2018年4月。私は友人の在英ジャーナリスト、加藤節雄さんが運転する車で、ウェールズ南部の海沿いの村、アングルに向かっていた。加藤さんは英国在住が50年を超え、日英両国の関係をつぶさに取材してこられたジャーナリストの大先輩だ。旅の目的は郷土史家のデービッド・ジェームズさんに会い、平野丸の慰霊碑建立計画について一緒に詳しい話を聴くためだった。

英本土からアイルランドの方角へ海に向かって突き出た半島の先端に位置するアングルは、ロンドンから鉄道でウェールズの中心都市カーディフまで約2時間、さらにそこから車で2時間半ほど離れた場所で、鉄道やバスでは到底たどりつけない遠隔地にある。英本土の南西部、大西洋に突き出た半島の先端に「ランズ・エンド」（地の果て）という場所があるが、イングランド最西端として観光地化されたランズ・エンドよりも、アングルの方がよほど「地の果て」のような気がした。

長い時間、車を走らせ、なだらかな丘を抜けると、古い石造りの小さな「聖マリア教会」が見えてきた。ようやく着いた、と車を降りると、地元の人たちが周りに集まってきた。「あなたたちが日本のジャーナリストですか」。どうも約束の時間より前から、私たちのことを教会の前で待ってくれていたようだった。その中にいた小柄で温厚そうな白髪の男性がジェームズさんだった。

アングルの教会（加藤節雄氏撮影）

ロンドンの日本郵船の事務所で一通りの事前取材を済ませ、全体像をおおむね把握していたこともあって、話は早かった。挨拶もそこそこに、ジェームズさんに教会の中に案内され、祭壇の後ろにある小部屋で、そこに保管されていた古い埋葬記録の綴りを見せられた。

あるページに、手書きで「Shiro Okoshi」と

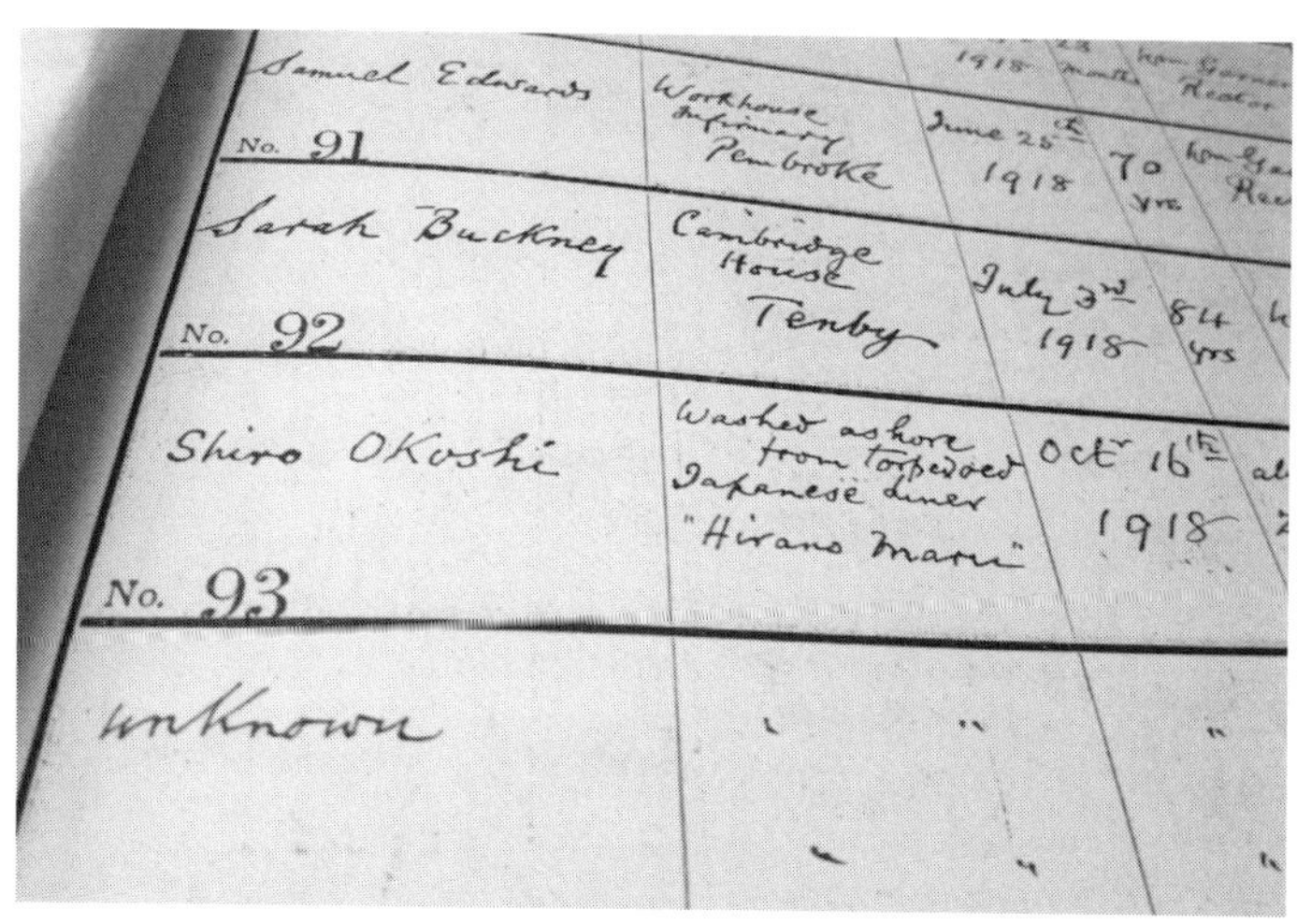

アングルの教会の埋葬記録（加藤節雄氏撮影）

いう名前が記載されていた。埋葬日は1918年10月16日。住所の欄には「撃沈された日本の定期船、平野丸から岸に打ち上げられた」、年齢は「およそ24歳」とあり、当時の教会の責任者、ウィリアム・ガーナー牧師のサインがあった。「Shiro Okoshi」を含めて、同じ埋葬日に平野丸の乗客または乗組員とみられる5人、さらに別の日に計5人の記載があった。名前がはっきり書かれていたのは1人だけで、それ以外は「Unknown」（不明）とあるだけだった。「Shiro Okoshi」という人物は、何か身元を示すものを所持していたのかもしれなかった。

教会の外は墓地になっていた。緑の草地のところどころに十字架の墓石があった。比較的新しいものも、かなりの古さと思わせるものもある。ジェームズさんが指差したのは大きな木の

古い墓標の写真。「日本郵船會社平野丸遭難者之碑　大正七年拾月拾五日建立」と記されている

根元の近く、何もない場所だった。

すると、近寄ってきた住民がセピア色の古びた写真を見せてくれた。男性が立つ横に、木製の墓標が写っていた。男性は教会のスタッフでワトキンスさんという名前だと教えられた。そして、墓標には日本語で「日本郵船會社平野丸遭難者之碑　大正七年拾月拾五日建立」と記されていた。写り込んだ背景の建物の位置関係から、ジェームズさんが指差しているこの場所に平野丸の墓標が立っていたことは間違いなかった。

別の角度から撮られた写真には、「大越四郎」の名前が墓標に書かれていた。平野丸の乗組員の一人である24歳の給仕の名前だった。教会の裏手にはこぢんまりした礼拝堂があった。礼拝堂の地下は溺死した船乗りたちの遺体を安置するのに使われていたそうで、この地が古い昔から、遭難した船の乗客や乗組員の遺体が流れ着く場所であることを示していた。

聖マリア教会の現在の建物は13世紀末から14世紀初めごろに建造されたと考えられている。

礼拝堂の内壁には歴代のアングル教区の牧師たちの名前が掲げてあったが、一番上の名前の横には「1200年」と記されていた。800年以上の歴史がある由緒ある教会であることは一目瞭然だった。19世紀半ばに大規模な修復が行われたものの、教会のがっしりとした塔は中世のころそのままだ。

地元の観光ガイドブックによると、アングルの地は、かつて英国王のアイルランド侵攻に協力した領主が一帯を支配した。アングルの北方、湾をはさんだ対岸にあるウェールズ有数の都市、ミルフォードヘブンには、18世紀には英海軍の造船所、最近までは製油所があり、アングルはその湾の入口という戦略的に重要な場所にあった。漁船や商船の繋留地として、昔から船乗りたちが暮らす静かな村だった。19世紀末から20世紀初頭にかけての時期はレンガ産業が発達して村の人口が増えたが、それでも村の学校の生徒数は、わずか140人だった1912年がこれまでで最も多かった。1868年には救助艇の基地が開設され、現在も付近を航行する船舶の安全を確保する役割を果たしている。

放置は正しくない

近くにある海辺の静かなカフェに場所を移して、ジェームズさんの話を詳しく聴くことにした。ジェームズさんはアングルから東に約10キロほど離れた港町ペンブロークドックの近郊の在住で、「西ウェールズ海事遺産協会」の事務長を務める地元海事史の研究家だった。

ジェームズさんは代々、漁業や船にかかわる仕事をなりわいとする家に生まれた。自身は建築関係の仕事を引退後、地元の海事史について調べたり、船の模型を作ったりすることを趣味にしていた。ペンブロークドックは19世紀に海軍工廠が造られ、日本海軍の軍艦も建造されるなど栄えた町だった。

歴史を調べるうちに、ジェームズさんは子供のころに父親から聞かされた日本船の犠牲者のことを思い出した。アングルの教会に、第一次大戦時にドイツの潜水艦に撃沈された日本船の犠牲者が埋葬されているという話だ。墓標はすでに失われ、荒れ地の下に眠っている人たちが放置されていることが気になっていた。「兵士でなくても、戦争の犠牲になった人たちだ。放置されているのは正しくない。何とか慰霊碑を再び建ててあげたい」。

事件から100年となる日に合わせて、新しい慰霊碑の除幕式を行うことを思いついたジェームズさんは、すぐさま行動を起こした。平野丸の日本人犠牲者らを弔おうと地元の雑誌で呼びかけ、募金活動を始めた。4500ポンド（約80万円）を目標に定め、何とか1100ポンドを集めたが、まだ手が届かなかった。そこでジェームズさんは、ロンドンにある日本郵船の事務所に協力を求める手紙を書いた。それが2017年2月のことだった。

日本郵船にとっては青天のへきれきだった。第一次大戦当時に平野丸が英国沖で撃沈されたことはもちろん知られていたが、ウェールズの小村で、今は失われた日本人らの墓標を地元の英国人らが新たな慰霊碑として建て直そうとしているという話に驚いた。残された写真の古い墓標には「日本郵船會社」とあることから、日本郵船が建立した可能性が大きいと考えられるが、詳しい資料は失われてしまっていた。地元の人々の温かい思いに深く感激したロンドンの日本郵船の関係者は、現地を訪れて、資金を含めた全面的な協力を喜んで申し出た。

私はジェームズさんに是非聞きたいことがあった。日本と全く縁もゆかりもないあなたが、なぜ日本人らの犠牲者の慰霊碑を建てようと考えたのか。

平野丸の事件があった当時、日英両国は同盟国として友好関係にあった。日本は明治以降の近代化の過程で、英国人の技術者らを招き、多くの知識を吸収した。だが、残念ながら、そのような親しい関係はその後、敵同士として戦った第二次大戦により吹き飛んでし

デービッド・ジェームズさん（加藤節雄氏撮影）

アングルの住民のみなさん（2018年4月5日、加藤節雄氏撮影）

まった。

損なわれた信頼関係を修復し、再び友好の絆を結ぶのは容易ではなかった。第二次大戦中、旧ビルマ（現・ミャンマー）やシンガポール、香港などで英軍の兵士ら約5万7000人[1]が日本軍の捕虜となり、民間の英国人も多数が抑留された。特にタイとビルマを結ぶ泰緬（たいめん）鉄道の建設に当たっては、英国人を含む連合軍捕虜やアジア人労働者が強制労働で過酷な扱いを受け、数万人が感染症や栄養失調などで死亡した。泰緬鉄道は「死の鉄道」として知られ、映画「戦場にかける橋」にも描かれた。

そうした体験をした英国人兵士、その遺族や家族らが抱く反日感情は簡単には消えなかった。1971年に昭和天皇が英国を訪問した時、あるいは1998年に上皇陛下が天皇時代に訪英した際も、英世論は歓迎一色だったとは言い難い。20世紀末でも、元英兵捕虜が沿道で日の丸を焼き、宮殿に向かう天皇の馬車列に背を向けて抗議の意思を示した。在英邦人の中には今も、元英兵捕虜らを日本に招いて和解の活動を続ける人がいるほか、ロンドンの日本大使館も日英和解の会合を開くなど地道な活動を続けている。

日英両国はこうした不幸な時代をくぐり抜けてきたのに、ジェームズさんは日本をどう思っているのか。「英国の敵」だった日本人の霊を弔うことに躊躇や抵抗はないのか。

その答えには、ジェームズさん自身の2年間の軍隊経験が関係していた。１９３８年生まれのジェームズさんは、第二次大戦の終結時はまだ7歳だったが、戦後、リビアの砂漠地帯や西ベルリンに陸軍歩兵部隊の兵士として駐留したことがあった。英国がかつて採用していた徴兵制による最後の時期の兵士だった。西ベルリンにいたのは冷戦のさなか、東西を隔てる壁があったころだった。

銃を構えて検問所の警備をしていたジェームズさんは、同じ民族と国を分断する非情な壁を目(ま)の当たりにしていた。壁越しにわずかに見える東側の人たちは、いつも監視されている様子だった。自由を求める彼らの願いを知るにつれ、「二度と戦争は起こしてはならない」との思いを強くしていった。ジェームズさん自身の親戚の一人が第一次大戦時に英海軍の掃海艇の乗組員をしており、開戦翌年の1915年、北海での掃海作業中にドイツ海軍が敷設（ふせつ）した機雷により命を落としていた。

「ドイツとは10年、フランスとは300年、戦争をした。スペインとも、オランダともだ」

ジェームズさんは日本とだけ戦争をしたわけではないと語った。自分も家族も日本軍と戦った経験がないからそのような言葉が出てくるのかもしれないが、過去の戦争を通じて生まれた敵意を持ち続けていても仕方がない、未来に向けてどう関係をつくっていくかの方が大事だ、そう言っているように聞こえた。アングルからそう遠くない場所には、第二次大戦中に使われた旧空軍飛行場があり、英国やオランダ、ポーランドなどの兵士の墓があると教えてくれた。

「戦場で命を落とした英軍兵士のために世界中に墓標がある。なのに、平野丸の犠牲者が故郷から遠く離れたこの地に眠っていることを示すものさえ、今はない。われわれは皆、同じ人間だ。日本人も英国人も違わない。ここに眠る人たちは、誰かの息子であり、夫であり、父親たちだった。帰りを待つ家族がいて、本当ならば幸せな生活が送れたはず。自分は人間として当然のことをしているだけだ」

取材に訪れた際、ジェームズさんはアングルだけでなく、ミルフォードヘブン近くのセントイシュマエル教会の墓地にも連れて行ってくれた。名前は不明ながらここにも日本人1人が埋葬されたと伝えられている。1918年10月5日の埋葬記録には「氏名不詳の船員」という記載がある。さらに、セントイシュマエル近くのデール[2]など、ジェームズさんが慰霊碑建立に尽力したアングルの教会だけでなく、周辺一帯の海岸の何カ所かに遺体が漂着していた。

名乗り出た遺族

慰霊碑建立の計画について記事にまとめ、2018年5月、夕刊向けの話題もの記事として、全国の加盟紙に向けて配信した。日本郵船本社の広報グループからも、記事に盛り込む正式なコメントをもらった。「洋上で船が殉難した場合、形見の品がご遺族に戻ることすらまれなのに、漂着した亡きがらが現地の方々により丁重に扱われ、埋葬されたことは、当社では他に類を見ない史実です。平野丸殉難者が改めて、安らかに眠る地で慰霊の機会を得ることは望外の喜びです」との内容で、異例な出来事であることが際立った。

記事は全国の加盟紙の一面や社会面のトップ記事として大きく扱われ、ウェブサイトにも掲載された。多くの読者の目に触れるような形で伝えることができたのは、記者冥利に尽きることだった。

だが、話はそれで終わらなかった。6月に入って記事を読んだ読者の一人から、東京の共同通信社本社に問い合わせがあったのだ。東京都小金井市に住む元市民団体代表の中村良子さんだった。

手元に届いた中村さんのメールには、こう書いてあった。「祖父、山本新太郎が平野丸に乗っていました。教会の埋葬記録に山本の名前はありませんでしたか」。平野丸の遺族の一人が名乗り出てきたのだった。

実は記事を出した時点で、こうした展開になることを全く予想していなかったというと嘘になる。むしろ、遺族から連絡があるのでは、いや、あってほしいという気持ちでいたことを打ち明けなければならない。100年前の事件をめぐって日英の人々をつなぐドラマに魅せられた私は、さらなるドラマを期待していた。

ただ、記事の中で触れた名前は古い墓標にあった「大越四郎」という乗組員のものだけだ。連絡があるとすれば大越の子孫ではないか。なんとなくそんな気がしていた。

山本新太郎の名前の有無を尋ねてきた中村さんには正直に、埋葬記録に名前が記載されていたのは大越四郎だけだったと伝えた。名前のない埋葬者のうちの一人が山本新太郎だったこと

中村良子さん所蔵のアルバムに残る古い墓標の写真（中村さん提供）

を裏付ける情報も、否定する情報もなかったが、中村さんはアングルの墓地に祖父が眠っていると確信しているようだった。メールの返信に、私は「新しい慰霊碑にも大越ほか9人と記載されることになりますが、とはいえ、実際には亡くなった全員を慰霊するものだろうと考えます。その意味では、ご親族の山本新太郎さんも含めた慰霊碑であると言って差し支えないと思います」と書き送った。

中村さん自身は当然、祖父の山本と会ったこともなかったが、中村さんの元には、祖父の17回忌の際にまとめられた写真アルバムが形見として受け継がれていた。アルバムから接写して電子メールで送ってもらったセピア色の写真の1枚を見た途端、目が釘付けになった。

日本語が書かれた墓標、横に立つ男性。私がアングルで見せられた写真と全く同じものだった。写真の台紙には「大正七年十月四日於愛蘭土（アイルランド）沖独逸潜航艇の為、撃沈せられたる平野丸殉難者の為　在英國ペンブローク・アングル教会庭に建設せられたる墓標」と説明が書いてあった。驚くべき事実に胸が熱くなった。

埋もれていた史実を掘り起こし、自分たちで募金をしてまで慰霊碑を建てようというジェームズさんや地元の人々の暖かい思いについて中村さんは「深く感激した」と、私に書き送ってきた。中村さん自身、持病を抱えていたが、是非直接会ってお礼が言いたいと、アングルで行われる慰霊碑の除幕式に日本からはるばる参加することを決心し、ジェームズさんと少しでも直接コミュニケーションを取りたいと、ラジオの英会話講座で英語の勉強も始めた。

実現した慰霊碑除幕

2018年10月4日。多くの平野丸の乗客や乗組員が無念の死を遂げてからちょうど100年、ジェームズさんの夢が現実になる日がやってきた。前日にロンドンに着いたばかりの中村さんと、付き添いとして同行してきた音楽雑誌編集者の次女、沙耶(さや)さん、ロンドンの日本大使館の飯田慎一公使、日本郵船のグループ会社、NYKグループ・ヨーロッパの副社長、久保田圭二さん、ジャーナリストの加藤さんらと共に、日本郵船が手配してくれたマイクロバスで朝、カーディフを出発し、アングルに着いた。

小雨が落ちてきそうなあいにくの曇天だった。近隣の住民だけでなく、取材の日英メディアやウェールズ在住の日本人らも集まり、普段は静かな小さな村はいつになく賑わいをみせていた。スーツに勲章を付けて正装したジェームズさんは、長く待ち望んだこの日を迎えたという気持ちからか、やや緊張した様子だった。

ジェームズさんの緊張にはもう一つ理由があった。慰霊式に英王室からの出席者があったからだ。エリザベス女王のいとこ、グロスター公リチャード王子だった。グロスター家は英王室の中でも特に日本とのゆかりが深く、リチャード王子の父、ヘンリー王子（1900～1974年）は平野丸の事件当時の国王、ジョージ5世の三男に当たる。1929年には国王の名代として昭和天皇に英国最高位のガーター勲章を授与するため来日し、皇族や軍人らと交流したほか、京都、神戸、日光などを訪れ、各地で大歓迎を受けた。

リチャード王子が除幕式に出席することは、日英友好を象徴する式にとって、これ以上望めない名誉で、意義あるものだった。リチャード王子の到着から出発まで、そばに付き添い、案内役を務めたジェームズさんはとても心から光栄に思っているようだった。

聖マリア教会の牧師が祈りの言葉を捧げた後、除幕の役目を引き受けたリチャード王子が白い布を引くと、黒い慰霊碑が姿を現した。高さ約1メートル、先端がとがったオベリスクの形をした花崗岩の碑には英語、日本語、ウェールズ語の三つの言葉が刻まれていた。

日本語では「平野丸殉難者　大越四郎　他九名之墓　大正七年拾月四日　愛蘭土沖於」とあっ

た。慰霊碑は地元の石材業者に発注していたが、日本語の碑文について、なじみのない漢字に間違いがないよう、ジェームズさんが、アングルから車で30分ほどのところに住む知人の大前典子（よりこ）さんに監修と協力を依頼していた。

リチャード王子や日本側の参列者らが順番に白や黄色の花輪を捧げた。中村さんは緊張の余り、式の直前に気を失うハプニングもあったが、ウェールズ南部スウォンジー在住の元空将補、松井健さんや娘の沙耶さんに脇を抱えられながら、慰霊碑の前に立った。念願を果たした瞬間だった。

中村さんは英国の地元テレビクルーに囲まれ、簡単なインタビューを受けた。加藤さんが通訳を買って出て、感謝の言葉を述べる中村さんの思いを伝えた。

式が終わり、休憩所となった村の集会所に出席者が引き揚げた後、中村さんは温めていた「ある計画」を実行に移した。アルカデルト作曲の賛美歌「アヴェ・マリア」を慰霊碑の前で、沙耶さんと歌うことだった。沙耶さんは合唱団でアルトのパートリーダーを務め、カトリックの中村さん自身も合唱を趣味としていた。祖父の御霊に聖母マリアの歌を捧げようと、この日、この瞬間のために練習を重ねてきた。

事前に計画を聞かされていた私は、せっかくなので出席者の皆さんの前でアヴェ・マリアを披露してはどうか、と提案したが、中村さんは「娘と二人で、慰霊碑の前でささやかに歌いた

花を手向ける中村良子さん（中央、共同通信社提供）

い」と希望した。

出席者が式を終えて退席したタイミングを見計らって、二人は歌い始めた。日本からはるか遠い英国の海で命を落とした祖父に直接語りかけるような、心のこもった歌声だった。多くの聴衆が周りにいなかった分、静けさの中で響く二人の歌声が胸に沁みた。

中村さんは式を終えて「祖父も草葉の陰で喜んでくれていると思う」としみじみと話し、碑を建立してくれたジェームズさんたちに、改めて心からの感謝の言葉を口にした。

一方のジェームズさんは大きな仕事を終え、肩の荷を下ろし、晴れ晴れとした様子だった。感想を尋ねると、「とても満足している」とうれしそうな顔を見せた。中村さんらがわざわざ遠く離れた日本から駆け付けてくれたことに

「感激した」と話した。

帰り際、ジェームズさんは、私たち一行をアングル近くのフレッシュウォーター・ウエスト海岸に案内してくれた。恐らく平野丸事件の犠牲者の遺体も流れ着いただろう、その場所だった。強い風が吹いていた。海は荒れているというほどではなかったが、鉛色の空、白い波が打ち付けるさまは、100年前の出来事を想像させた。

別れの挨拶をする中村さんに、ジェームズさんは両手を出して応えた。しっかり握り合った手と手。お互いの感謝の気持ちが通じ合い、二人とも感無量のようだった。

新たに建立された慰霊碑

中村さんは帰国後、「10月4日に凝縮された出来事は、終生忘れられない私の宝ものになることでしょう」とのメールをくださった。趣味である自身の短歌がいくつか添えてあった。

心身の緩やかなりてやうやうに　慰霊の旅に
時とまりしも
アングルの歴史を背負う旅なりき　涙ですべ

別れの握手をする中村良子さん（右）とデービッド・ジェームズさん

てがのっぺらぼう
導かれ百年超えし異国の地　記念碑前に思いの深し
慰霊碑を訪ね捧ぐるアヴェマリア　孫とひ孫が歌っています
アングルの海と草原静かなり　祖父の御霊はその地に生きる

アングル・聖マリア教会の慰霊碑と同時期に、同じく日本人と思われる遺体が埋葬されたセントイシュマエルの教会にも、アングルの慰霊碑建立の資金の一部を使って、オベリスクの形で菊の紋章が付いた慰霊碑が建立された。「1918年10月4日　敵軍の戦闘で沈没した平野丸で亡くなられた人々のご冥福をお祈りします」との文章が日本語、英語で書かれたプレートが付けられている。

自然な行為

ジェームズさんらが、遠く離れた日本の戦争犠牲者を悼んでくれた背景には、何か特別な理由があるのではないか。平野丸の取材や調査を通じて、そうした疑問をずっと抱いてきた。

英国や、英国の旧植民地諸国では、遠い戦場で戦死した兵士はその戦地で埋葬し、弔う習慣があったのだそうだ。遺体をわざわざ故国に送還する経済的負担を回避する現実的な理由もあったようだが、貧富の差や出身地、民族や宗教の違いによって追悼のあり方に差が出ないようにすることも意識されていた。[3] ジェームズさんが「世界中に英軍兵士の墓標がある」と語っていたのもそのためだ。ロンドンの戦没者追悼記念碑、セノタフも無宗教の形式を取っており、「死の平等」を体現するものになっている。

そうした意味から、英国の人々にとって、第一次大戦時にドイツのUボートによって撃沈された商船の乗客・乗組員の犠牲者は、例えば欧州の西部戦線で斃(たお)れた英軍兵士と同じように扱い、きちんと追悼すべき人々と映っているのかもしれない。たとえ極東の国の人々だとしても、遺族の悲しみ、精神的な苦痛に大きな差があるわけではないという考えに基づくのではないだろうか。

もう一つ、アングルやその周辺に住む人々が、漂着した誰のものとも分からないような遺体を丁寧に埋葬し、弔ってきた背景には、海難事故が多い地理的な条件があったと考えられる。セントジョージ海峡に突き出た半島の先端に位置し、目の前の海は、英国とアイルランドを結び、さらに大西洋のかなたの米大陸、フランスやスペイン、ポルトガル、地中海沿岸の各国、アフリカ大陸を越えてはるかアジアともつながる海運の大動脈だった。入り組んだ海岸線を持ち、荒天で遭難した船舶の乗組員らの遺体、船舶の残骸や積荷などが流れ着くことが多い場所だった。

ジェームズさんが案内してくれたフレッシュウォーター・ウエストの海岸には別の犠牲者らの慰霊碑があった。第二次大戦中の1943年、沖合で荒天のために遭難した英海軍の掃海艇ローズマリーと上陸用舟艇の乗組員計79人の犠牲者を悼むためのものだった。70年後の2013年に除幕された碑には、亡くなった水兵らの名前が刻まれている。[4] 平野丸の慰霊碑除幕式直後に私たちが訪れた際には、赤いポピーの造花でつくられた花輪が手向けられていた。

ジェームズさんは「昔からここの人たちは、どこの国の人の遺体であっても、流れ着いたら引き揚げて、きちんと埋葬し、身元が分かる場合には家族にその人の死を伝える、ということをやってきた。珍しいことではないんだ。海に面した地域では世界中どこでもやっていることではないか。人間としての自然な行為だよ」と説明する。

英掃海艇ローズマリー乗組員の慰霊碑

確かに、世界中どこでも、海沿いの地域の人々にとって、こうしたことは珍しくないのかもしれない。1890年、日本に派遣されたオスマン帝国の軍艦エルトゥール号が和歌山県・串本町沖で遭難した際、地元住民が総出で、懸命に救助活動を行ったことはよく知られており、日本とトルコの友好の礎となっている。

日本と英国に限った話でも、明治維新前の1864年に、マグロ漁で知られる下北半島最先端の青森県・大間沖で、荒天のために遭難した英国の商船アスモール号の乗組員を、地元の人たちが救助し、英国のヴィクトリア女王からお礼に金時計などが地元・南部藩に贈られたという史実もある。[5]

ただ、そうだったとしても、100年前の犠牲者を悼むため、新たな慰霊碑をまずは自分たちの力で建立しようと思い立ったジェームズさんや、その提案にすぐに「やろう。手伝うよ」と賛同し、募金活動に協力した地元の人たちの厚情は感嘆に値する。慰霊碑建立のプロジェクトについて、日本側の支援も含めて、多くの人たちの協力が「雪だるまのように」大きくなっていったとジェームズさんは振り返った。

慰霊碑建立を日英の新たな交流のきっかけにしたいという、ジェームズさんの思いをつなぐ活動も生まれている。慰霊碑の日本語の監修で協力した大前さんら比較的近くに住む日本人らが、お盆などの機会に合わせてアングルを訪れ、慰霊碑の掃除をして、祈りを捧げている。

大前さんは「ジェームズさんが掘り起こしてくれた史実と再建された慰霊碑を放っておきたくないという思いでやっています。ジェームズさんがここまでやってくださったわけですから、こちらに住んでいる日本人として当たり前のことと思っています」と話してくれた。

人知れず続けた献花

平野丸の慰霊碑建立の取材をし、日本に帰国して以降、平野丸に関する新聞記事や公文書を手当たり次第に調べ、読みあさってきた。乗客や乗組員の人生や人物像を知るためには古い史料を調べる必要があったため、昭和どころか平成に入ってからの史料にはほとんど目が向いていなかった。

ふとしたきっかけで、1990年3月25日付の毎日新聞朝刊のその記事を図書館で見つけた時には、目を疑い、声を上げたほどだ。「人と世界」という連載シリーズの記事は、デービッド・ジェームズさんよりずっと前に、平野丸の犠牲者の慰霊活動をしていた英国人がいたこと、しかも、その住民は100年前の撃沈当時の出来事を目撃した人物であることを伝えていた。「自分との約束　果たす／平野丸撃沈　72年間にわたり献花」という見出しが付いた大きな記事だった。

毎日新聞ロンドン特派員が書いたその記事によると、1918年に16歳の少年だったレスリー・リースロイドさん＝記事当時（88）＝は、葬儀屋をしていた父の仕事の手伝いで、海岸に漂着した平野丸の乗客や乗組員の遺体の埋葬に立ち合った。そして70年以上も、大越四郎らがアングルの聖マリア教会で埋葬された場所に献花を続けていた。

平野丸事件当時、リースロイドさんは、湾を挟んでアングルの対岸にあるミルフォードヘブンに住んでいた。1918年10月中旬、聖マリア教会から4人の遺体が漂着したので埋葬するよう依頼があった。アングルの沖合で日本の船がドイツ軍の潜水艦に撃沈され、多数の死者が出たと聞いていた。新しいひつぎを小船に乗せて父と湾を渡り、アングルに向かった。遺体を確認すると、いずれもアジア人の男性で、船乗りの格好をしていた。撃沈された日本の船の乗組員に違いないと思った。

教会の敷地に立つ大きな楡（にれ）の木の下に穴を彫り、4人の遺体を埋葬した。牧師や近くの住民が集まり、祈りを捧げた。リースロイドさんは「遠い異郷の地で果てて、さぞやさみしいでしょ

毎日新聞

人と世界

平野丸撃沈 72年間にわたり献花

レスリー・リースロイドさん

自分との約束 果たす

バラやチューリップ 毎年 ひっそりと

レスリー・リースロイドさん（左）

リースロイドさんのことを報じた毎日新聞 1990 年 3 月 25 日朝刊の記事

いた。

う。しかし、あなた方をうち捨ててはおかない。忘れはしません」とひつぎに向かってつぶやいた。

アングルの海岸には、その後も遺体が流れ着き、日本人数人がアングルを訪れ、埋葬地に墓標を立てた。墓標は1930年の嵐でどこかに吹き飛ばされてしまった。

リースロイドさんは平野丸の事件が起きた10月4日を含めて年に2、3回、バラやチューリップの花束を持って教会を訪れ、埋葬地に献花し、祈りを捧げてきた。湾に橋がかかるまでは小船で海を渡り、年老いてからも杖をつき、妻に支えられながらタクシーで献花に訪れた。墓標も失われ、墓石もない教会の敷地に時々、花が手向けられているのを住民が不思議に思うようになった。ただの草地になってしまい、日本人が埋葬されていることは誰も知らなくなっていた。

リースロイドさん自身、日英が戦った第二次大戦で従軍し、オーストラリアや香港に赴き、片足を負傷した。リースロイドさんは、自身が献花を続けていることを口外しなかった。その理由について、第二次大戦で日本と戦った英国民の反日感情への配慮からではなく、「自分に課した約束で、他人には関係がなかったからだ」と話した。

地元の新聞記者が謎の献花の話を聞き付け、リースロイドさんを探し当てた。ロンドンの日本大使館にも話が伝わり、当時の千葉一夫駐英大使が夫人と一緒に現地を訪れ、リースロイドさんに感謝を伝えた。1990年の記事にはそう記されていた。

私は、ジェームズさんから「しばらく前まで毎年、墓標のあった場所に人知れず花が手向けられていたことがあったと聞いたが、誰がやったことなのかは分からない」と聞かされていた。私も、加藤さんも、古い歴史を知る英国在住の日本人が名前を隠して花を贈っていたのではないかと考えていた。

だが、毎日新聞の記事を見て、花を手向けていたのはリースロイドさんに間違いないと確信した。確認をしようと、改めてジェームズさんを通して、アングルの住民にも新たに情報を求めたが、残念ながら、すでに亡くなっているだろうリースロイドさんのことを覚えている人を見つけることはできなかった。

米国との沖縄返還交渉時に外務省北米一課長だった千葉大使は、駐英大使の任期を終えた後、退官され、2004年に亡くなった。人事異動のため、何年かで人が入れ替わるロンドンの日本大使館からも「ジェームズさんより前に平野丸の慰霊活動があった」という声は聞こえてこなかった。千葉大使がリースロイドさんに面会した記録がないか、外務省に情報公開請求をしてみたが、「記録はない」との回答があった。

最後の手段として、記事を執筆した本人で、毎日新聞副社長や下野新聞（栃木県）社長も務めた観堂義憲さんに連絡を取り、リースロイドさんに会った際のことを聞きたいと取材を申し込んだ。だが、観堂さんからは「申し訳ないけれど、全く覚えてない」と答えが返ってきた。

観堂さんがリースロイドさんを取材したのは1990年、イラクがクウェートに侵攻する湾岸危機の数カ月前だった。世界を揺るがした翌年の湾岸戦争に至る大ニュースで中東を飛び回る前に、英国の片田舎で取材した30年前の小さなヒューマンストーリーの取材について記憶がないのは無理からぬことだった。

異国で亡くなった人を弔うという、自らに課した約束を果たしたリースロイドさんの私心なき思いは、慰霊碑建立のために行動を起こしたジェームズさんと重なる。どのような人だったのかもう少し知りたい、という願いは叶っていないが、リースロイドさんのような人がいたことに胸を打たれた。アングルやウェールズの人々には、私たちの想像をはるかに越える善意の伝統が脈々と受け継がれていているのだった。

3 荒天の中で

繁栄極めた港町

ビートルズが生まれた町、イングランド北西部リバプール。平野丸が横浜への最後の航海に出たこの町は現在、人口約50万人を数える。サッカーのプレミアリーグの名門クラブチーム、リバプールFCの本拠地としても知られている。

かつては小さな漁村だったが、18世紀に西アフリカ、米大陸を結ぶ「三角貿易」の拠点となり、富を蓄積した。リバプールの商人たちは「三角貿易」によって、英国などからの綿布、鉄砲、雑貨をアフリカ大陸に売り付け、アフリカの黒人奴隷を買い付けて米大陸の西インド諸島などに売りつけた。奴隷たちは、労働力を必要としていた棉花やサトウキビなどのプランテーションに働かされ、そこで生産された棉花や砂糖、タバコなどを英国に運び、売りさばくことで莫大な富がリバプールに蓄積した。

18世紀半ばに英国で産業革命が起きた背景にも、リバプールの繁栄があった。奴隷貿易が禁止された後、蓄えられた資本がマンチェスターに投資され、綿工業が発展した。新大陸やインドからリバプールを経由して運ばれた棉花を原料にマンチェスターで綿布が生産され、さらに世界に向けて輸出された。大英帝国の繁栄、資本主義の勃興を支えたのはリバプールの海運業だったと言っても過言ではない。19世紀の初めには、世界の貿易の40%がリバプールの港を通ったとまで言われ、リバプールは大英帝国の繁栄を支える存在だった。

リバプールの港近くにあるビートルズの像

マージー川の河口に開けた港町で、造船業も発達し、20世紀初頭には、ロンドンに次ぐ英国の拠点都市となった。当時の繁華街には、毛皮やドレスを扱う女性向けの高級衣料品店が軒を並べていた。街中から港へ抜けるまっすぐな大通り、ウォーター・ストリート沿いには現在、石造りの古いビルが建ち並び、リバプール市庁舎もある。そのすぐ近くには、1920年に開設された日本総領事館が入居していた建物もあった。かつて日本郵船の事務所が入っていたのは、それよりも巨大な威容を誇るタワー・ビルディングと呼ばれる建物だった。そばにある1860年開店というパブに入ると、英海運会社キュナード・ラインのリバプール―ニューヨーク航路の古い広告が掲げてあった。当時も、この辺りにあったパブでは国際航路の船乗りたちがビールのグラスを傾けていたのかもしれない。

リバプールは、英国西岸に位置する地理的条件から、対岸のアイルランドはもちろん、米国との貿易の拠点だった。19世紀半ばには中国人船員らが住み着き、欧州で最古の中国人コミュニティをつくった。最近では英国でも、米国と覇権を争う経済力をつけた中国の企業が不動産を相次いで買収したが、何世代も前からこの地に住み続け、強いリバプール訛り(なま)の英語を話す中国系英国人もいるのだそうだ。正月過ぎにリバプールを訪れた際に、中国の旧正月「春節」に向け、伝統的な竜舞の練習をしている人たちの姿を見かけたことがある。リバプールは世界に開かれた町だった。

明治、大正、昭和の時代を船乗りとして世界中を航海し、のちに日本郵船の浅間丸や箱根丸の船長も務めた藤田徹は、第一次大戦中の1917年6月、欧州航路の伊予丸(いよまる)の2等運転士としてリバプールに初めて着いた際の印象を日記に「流石(さすが)に世界第一流の港とて、その設備至れり尽せりで、英国の海運王国を誇る所以(ゆえん)も少し分つた様な気がする」と記している。[6]
ただ、藤田は、リバプールの市中で同僚の船員が地元の女性や子供たちから日本人であることを理由に侮辱され、無礼な態度を取られたとして、地元のリバプール・ポスト紙に憤激の投書をしている。

「自らの命の危険を冒して、食料や軍事物資を英国に輸送するのに最大限の努力をしている。長く、不安に満ちた航海はとてつもなく困難であることは船員でしか分からない。我々が奉仕している人々から温かく、親切な扱いを期待するのは自然なことではないだろうか。(中略)リバプールの市民だけでなく英国人が等しくわれわれを友人として扱い、英国人は肌の色にかかわらず、友人たちに対して親切で、思いやりがあるのだと感じさせてくれることを望む」(原文は英語)

投書の効果は絶大だったようで、藤田は多くの市民が義憤と共感を表明し、市議会は一部市民の無礼を遺憾とする決議をしたと記している。さらに、改めてリバプール・ポスト紙に「一部無知の徒の無礼の態度は敢(あ)えて心に留めざるべし。対等両国民の交情はいよいよ親密を加ふべき機会を得たるをよろこぶ」との趣旨を投書している。

大戦のまっただ中で、世界に冠たる大英帝国の主要な港湾都市に、日本からさまざまな物資が運ばれていたことも、この日記から分かる。

船の墓場

1918年（大正7年）9月2日、日本からの往路の終着地であるリバプールに着いた平野丸は、同地に約1カ月とどまった後、10月1日朝、バーケンヘッドのドックを出港した。バーケンヘッドはマージー川をはさんでリバプール市街の対岸にある。

バーケンヘッドでは、数々の英海軍の軍艦を建造してきた巨大なキャメル・レアード造船所が今も稼働しているが、河岸は港町の賑わいがすでに失われ、ひっそりとしていて、倉庫街を大型トラックが行き交う場所になっている。

当時、危険海域を通過するに当たっては船団を組むことになっていたため、平野丸はマージー河口に丸1日停泊し、船団編成が完了するのを待った。平野丸が加わったのは、米国の駆逐艦スタレット（DD-27）を含む駆逐艦2隻と英国の警備艇十数隻などからなる船団「OE23」だった。

加えて、甲板での見張りも通常の当直だけでなく、デッキ前部マストに2人、ブリッジに2

人、後部砲塔に2人を追加していたほか、夜間は船内の光が漏れないよう窓を完全に閉めるなど、ぬかりがないよう万全の態勢を取っていた。

平野丸は2日午前、乗客や乗組員全員が参加して緊急時の救命ボートの操作や避難経路の確認などの訓練を行っている。[7] それぞれ、万一の場合にはどの救命ボートに乗るのかが決まっており、各ボートの艇長から危険海域航行中の注意事項などについて一通りの説明を受けた。

2日午後5時ごろ、平野丸はいよいよ復路の航海に出発した。寄港地の南アフリカ・ケープタウンとダーバン、シンガポール、香港、上海、神戸を経て、最終目的地の横浜に向かう予定で、銑鉄などの鉄類、綿製品、毛織物、曹達(ソーダ)、機械類などを積んでいた。[8]

船団は計16隻、平野丸は3列の船隊の右側先頭の位置にいた。船団には、戦時徴用により米軍兵士を米本土から英国に輸送し、地中海に転戦する予定だったオーストラリアの客船カトゥーンバも加わっていた。

夜になると、雨が本格的に降り始め、風が強くなった。商船学校の機関科実習生として平野丸に乗船し、その時に機関室で当直任務に当たっていた生存者の一人、服部忠直(25)は、撃沈された時に船団を護送していたのはスタレット1隻だったと振り返っている。しけのため英国の警備艇が引き返すことになり、スタレットだけが護衛のために付いていたからだった。[9]

3日昼間の強い暴風雨は、深夜になると少し静まった。空は厚い雲に覆われ、暗闇に包まれ

平野丸が加わった船団「OE23」

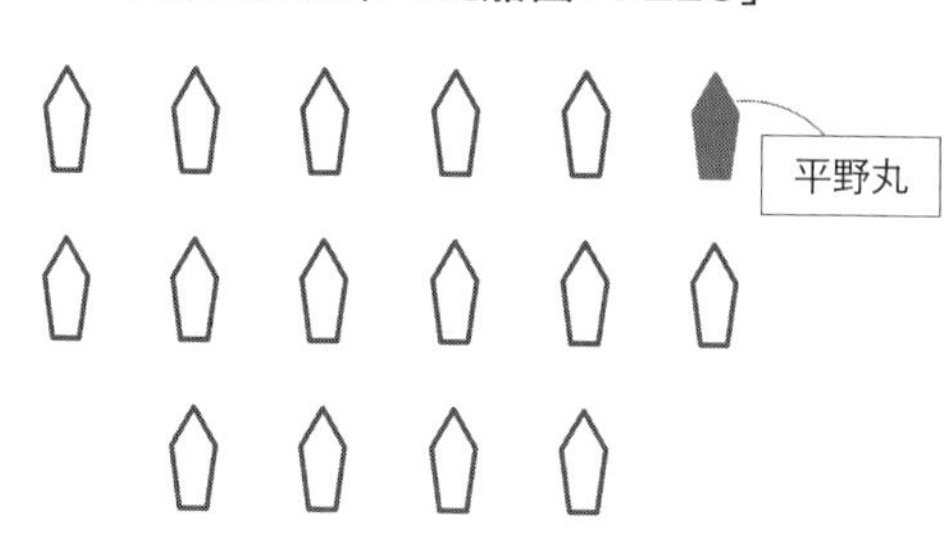

た海の上には、初冬のような、冷たく強い風が吹いていた。船体は大きく揺れ、メインデッキには荒れ狂う波のしぶきが降りかかった。平野丸からは、隣にいた船が舳先から大波をかぶっていたのが見えた。

英国ウェールズとアイルランド島を隔てるセントジョージ海峡を通過した平野丸は4日午前4時ごろ、アイルランド南部の港町、クイーンズタウン（現・コーブ）の南西60マイル（約110キロ）の地点に達しようとしていた。広い大西洋に出ようとするこの辺りの海域は、出没するドイツのUボートによる商船攻撃が頻発し、当時は「船の墓場」と言われていた。

先の伊予丸の藤田2等運転士は、この海域を航行する危険について、前年6月11日の日記に「本船付近を航海せる船舶にて、潜航艇に襲われ危難の無電を送るもの頻々、さながら地獄の海を渡りつつある心地す。幸いにも本船無事」と書いている。

その朝も、ドイツの潜水艦が近くにいるらしいという無線が平野丸に連合軍から入っていた。船団に加わる各船が聞くことができる無線によって、絶えず敵艦の所在に関する情報が伝えられる。時には、Uボートの攻撃を受けている僚船が救助を求める悲痛な通信が入ることもあった。この海域を通るのは、危険と隣り合わせだった。

わずか7分間

午前4時、交代で機関室の当直に就いたのは1等機関士の濱田一馬(40)と首席3等機関士の林甚一(28)、そして服部で、その下に機関部員として火夫や油差、石炭夫が計8人いた。

ドーン——。午前5時15分ごろ、機関室にいた濱田や服部らは突然、船首の方でとてつもない大音響を聞き、大きな振動を感じた。

「やられた!」。エンジンの回転数が落ちていることに気づいた。機関室の天窓から水が入り込んできた。緊急事態を知らせる汽笛が何度も鳴った。

ブリッジから「エンジン停止、全速力で後退」との指示。右舷の2番船倉に魚雷を受けたとの連絡が入った。はしごを駆け下りるバタバタという足音。人々が叫ぶ大声が響いた。船内は騒然となっていた。

そうするうちに、「機関室放棄」の指示が飛んだ。室内の時計は午前5時20分を指していた。

服部が梯子を上ってデッキに出ると、脱出用の救命ボートに乗ろうと急ぐ乗客や乗組員らの姿があった。[11]

沈没までには時間があると判断した服部はいったん自室に戻り、作業服を脱いで、冬用のシャツ、商船学校の制服に着替えた。事前の訓練で自分は左舷最後尾の救命ボートに乗ることになっていた。

その場所まで行くと、ボートをまさに降ろす準備をしているところだった。同じボートには乗客の横浜正金銀行ロンドン支店の青木喬(たかし)一家も乗るはずになっていた。服部は「女の方や小さい方、乗りましたか！」と叫ぶと、部屋から持ち出した風呂敷包みをボートの中に投げ込み、自分も乗り込んだ。

平野丸は10隻ほどの救命ボートを積んでいた。だが、船首を下にして船体が傾き、強い風が吹いていたため、ボートは海上に降ろす途中で平野丸の船体に衝突し、大破したり、転覆したりしてしまった。

濱田が乗ることになっていた右舷の救命ボートが降ろされようとしていたところで、2発目の魚雷が右舷中央の機関室を直撃した。激しい振動の後、機関室から赤い炎と煙が一気に上がった。

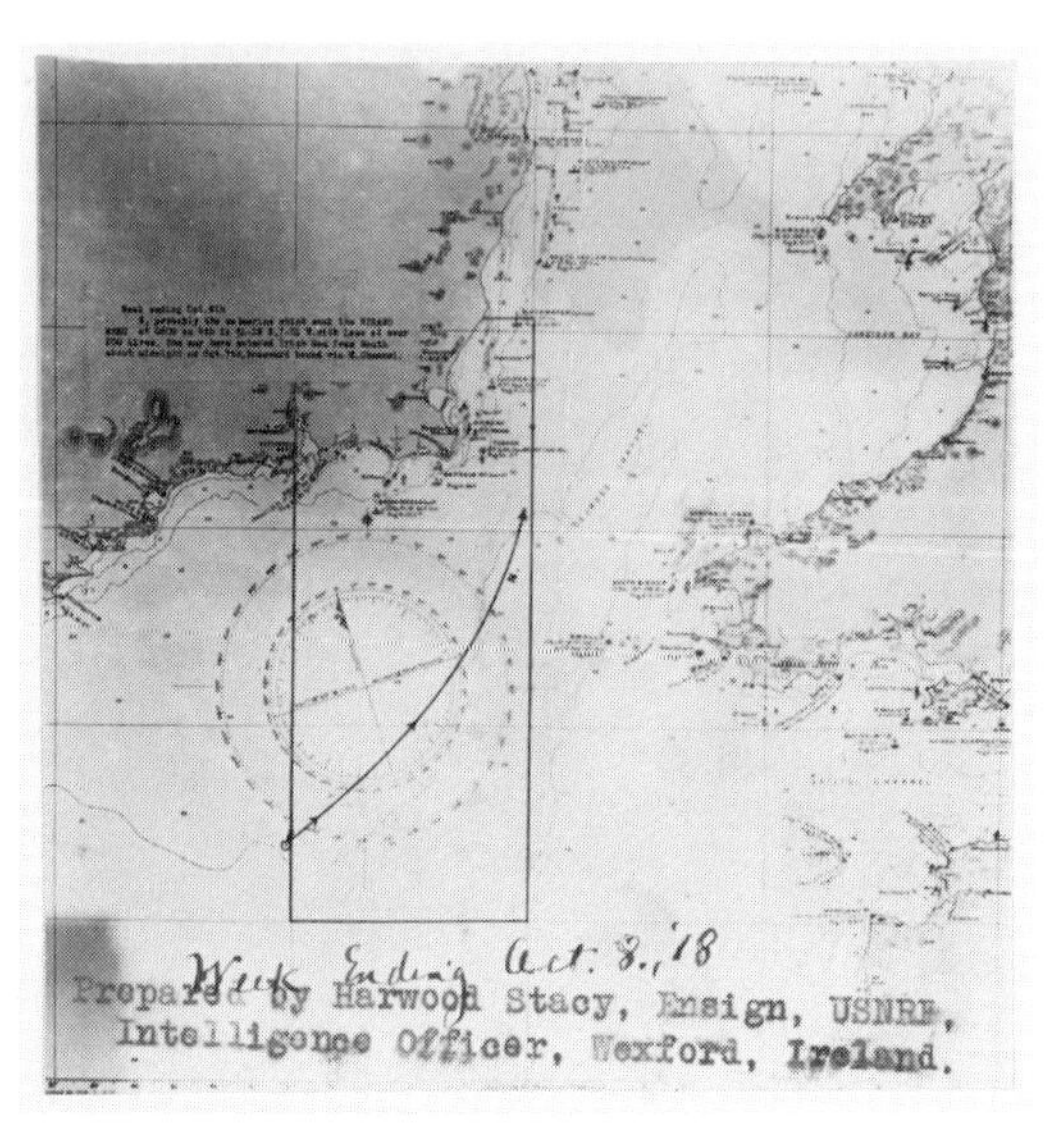

米海軍が推定したUボートの航跡（米海軍歴史遺産司令部蔵）

ボートは転覆、破壊され、救命胴衣を付けていた濱田は海中に投げ出された。船尾を上にして沈んでゆく平野丸の船体がついに海面から姿を消すと、その瞬間、巨大な波が起き、濱田の体ものみ込まれた。

何とか生きながらえようと、もがいているうちに、幸い体が海面に浮んだ。近くに浮いていた船の残がいに必死でしがみついた。濱田は救恤申請書に合わせて提出した「顛末書」で、最初の魚雷命中から船が沈むまで、わずか7分ほどだったと記録している。

平野丸の船体が沈み始める中、必死の思いで海に飛び込む人々も相次いだ。多くの乗客や乗組員が救命胴衣を付けていたが、氷のような海水の冷たさに体温を奪われ、手足の自由もきかなくなって、おぼれていった。深い暗闇、荒れ狂う高波の中、助けを求める人々の悲鳴が響いた。

リバプールの海事博物館には、第二次大戦中の1944年、暴風雨の中で大西洋を渡る軍艦から撮られた映像が大画面で紹介されている。ビューという空気を切り裂くような強風の音、上下、左右に大きく揺れ動く海面、船首にぶつかり砕ける白い波しぶきの映像だ。音は後から別に付けられたのかもしれないが、これを見た時には遭難当時の平野丸の様子が頭に浮かび、背筋が凍るような気がした。

米海軍の報告書には、護衛していたスタレットが爆発音を聞いたのは午前5時25分ごろと記録されている。乗組員が突然、くぐもった大きな音を聞き、後方約1マイル（約1・6キロ）を航行していた平野丸が沈みかけているのを発見した。

スタレットは全速力で現場に急行したが、到着する前に平野丸は沈没、80～100人が海上に漂っていた。[12] スタレットは小型ボートを降ろし、綱を投げて、海上にいた人たちを船上に引き上げ、水兵らが懸命の手当をした。引き上げられた人の多くは寝間着姿だった。救助された中には濱田や服部の姿もあった。人工呼吸を施したが、残念ながら息を吹き返すことなく、命を落とした人もいた。

スタレット（米海軍歴史遺産司令部蔵）

一方で、助かった乗船者の多くは厚着で、生存者には機関部員や当直の者が多かった。濱田は、最後に船を離れたため海水につかっていた時間が他の乗船者よりも短く、体温の低下が遅かったためではないかと推測している。

米海軍報告書には、息絶えた人々の遺体を海に流し、水葬にしたとある。また、当時の駐英大使、珍田捨巳（ちんだすてみ）が内田康哉（こうさい）外相に宛てた10月10日の公電には、水葬に付された中には、乗客の一人だったロンドンの日本総領事館の渡邊朝次郎副領事も含まれていたとみられるという記述もある。[13]

午前7時5分ごろ、救助活動の最中、Uボートからスタレットに向けて魚雷2発が発射された。スタレットは全速力で回避、Uボートを追跡し、水中爆弾で反撃したが、結局、追い付けずに追跡を断念した。だが、冷たい海に漂う平野丸の乗客や乗組員にとっては、一秒を争う状況の中、救助活動の中断は致命的だった。救助に当たったのがスタレット1隻だったことも災いした。

スタレットは最終的に乗客10人、乗組員25人の計35人を救助したが、うち乗客1人と乗組員5人はその後、命を落とした。[14] スタレットは午前8時45分まで救助活動を続け、これ以上生存者はいないと判断、活動を打ち切った。

スタレットのアラン・ファルカール船長は「戦闘区域における特筆すべき作戦行動、平野丸の乗客、乗組員に対する巧みで毅然とした救助活動」などが評価され、後に米海軍十字章を受けている。

命救った漂流物

スタレットに救助された乗客の一人、英陸軍シュロップシャー軽歩兵連隊のバトラー大尉は英メディアの取材に当時の様子をこう証言している。[15]

「日の出前、客室で寝ていたところ、大爆発が起きたかのような大きな音で目が覚めた。ベッドから飛び起きてズボンとコートを身に付け、救命胴衣をつかんで、救命ボートがある上部デッキに急いだ。下部デッキとつながる扉にたどり着いた時、船は船首から沈没した。（中略）自分も船体と共に海中に引きずり込まれたが、しばらくして海面に浮き上がることができ、漂流物にしがみついた。周りにはたくさんの人が海の上でもがいていて、助けを求める悲痛な声が強い風の音よりも大きく聞こえた。1時間半も漂流物につかまっていた屈強な人たちでさえ、しばらくすると大きな波にのまれていった。」

もう一人の生存者でベルギー人のルイ・デュモンも同様の証言をしている。

「魚雷の被害を受けなかった者は救命ボートに乗ろうとしたが、2発目の魚雷が命中し、船体は沈没した。自分は海に放り出され、他の7人と1枚の扉の上に乗って浮かんでいたが、風や波が強く、何度も振り落とされた。5人は力尽き、おぼれたが、自分を含めて3人だけが助かった。」

これだけの犠牲者を出す大惨事になったのは、ひとえにひどい天候だったことが大きい。当時、海はかなり荒れていた。南西の強い風が吹いており、救助された生存者の上陸地、アイルランドのクイーンズタウンに急行した在英国日本大使館の大関鷹麿海軍少佐[16]の報告では、南西の強風だった。[17] 米海軍の報告書によると、風力階級5（秒速8～10・7メートル）、波浪階級5～6（同2・5～6メートル）と、風が強く、波が高い状態だった。スタレットのデッキで平野丸の犠牲者を水葬にする様子の写真が米海軍のサイトにあるが、デッキにかかる波しぶきの中で作業をする水兵らの姿から、かなりの荒天だったことが分かる。

加えて、海水温の低さも生存者が少なかった原因となった。スタレットはUボートの追跡を断念した後、海に投げ出された人々が浮かぶ現場に戻って救助活動を再開した。しかし、冷たい海の上を漂っていた生存者の多くは力尽き、高波にのまれて次々に沈んでいった。

米駆逐艦スタレットで行われた平野丸乗船者の水葬（米海軍歴史遺産司令部蔵）

服部は、当時の海水温は華氏56度（摂氏13・3度）で、その日に自分で測定したので確かだと証言している。水中では空気中よりも25倍も速く体温が下がると言われており、10～15度の水中での意識不明までの時間は1～2時間、生存可能時間は1〜6時間とされる。[18] その意味では、服部も含めて30人の生存者がいたことは、スタレット1隻でできる限りの救助活動をした結果と考えた方がよいのかもしれない。

心配する家族、知人

戦前の内務官僚で、警視総監や貴族院議員を務めた長岡隆一郎は当時、ロンドンに長期滞在中で、平野丸の乗客だった海軍の藪正毅（まさよし）少佐と山本新太郎主計少監、日本総領事館の渡邊朝次郎副領事の3人と面識があった。長岡は、平野丸の遭難直後のことを文章に残している。

「十月四日の昼頃、用事があって日本人会に行くと、事務室の前に貼り出してある意外の掲示に一驚を喫した。曰く『昨夜リバプールを出帆した日本郵船会社の平野丸は、今暁五時半、アイルランド南方の沖合に於いて敵潜水艇の雷撃を受け沈没せり。乗客及び乗員の中約三十名救助せらる。他は目下捜索中。』とある。同船には友人の藪、山本、渡邊の三君が乗込んでいるので、気が気ではない。直（すぐ）に郵船会社支店、領事館、海軍事務所などに電話をかけて聞合わせて見たが、その後何とも後報に接しないので、様子が分からぬという。もっとも生存者は今日の午後にクインスタウン（ママ）に着くはずだから、夜になったら詳しいことは分ろうということであった。[19]」

ニューヨークからロンドンに渡る船で、視察の旅の途中だった藪や山本と一緒になり、デッキで写真を撮った長岡は、9月中旬、近く平野丸で帰国するという藪と食事を共にした。藪と山本、渡邊がリバプールに向かった9月30日にはロンドン・パディントン駅で3人を見送っている。

別れた時の元気な姿を思い出しながら、長岡は「たった四日もたたぬ中に死んでしまったとは、どうしても考えられぬ。きっと明日の朝あたり『オイ君、ひどい目に遭ったぜ』とか、何とか言って倫敦(ロンドン)に帰ってくるに相違ないと思う」と記している。

長岡隆一郎

平野丸遭難の報は日本にも伝わった。ただ、10月7日付の時事新報によると、日本郵船の黒川外航課長は取材に「本社には何らの情報もないが、しかし否定する材料がないから今のところ何とも言えぬ」と答えている。

7日午前に本社に届いたロンドン支店からの電報は次のようなものだった。

「平野丸は十月四日午前六時、愛蘭（アイルランド）の南方、約六十哩（マイル）の沖合において、敵潜航艇のため撃沈せられたり、詳細判明次第再電する」

乏しい情報にいらだち

東京の海軍省にはこれより早く、日本時間の10月5日午後3時にロンドンの日本大使館付の海軍駐在武官から平野丸撃沈の情報がもたらされた。日本との時差を考えれば、ロンドンからは現地で日付が変わる前の4日深夜には至急電を打ったと思われる。以下のような内容だった。

「英国海軍通報
平野丸十月四日午前六時、北緯五十一度十二分、西経七度に於いて電撃を受け沈没三十名米艦に依り救助せらる　其の他乗組員目下捜索中　藪少佐一行消息取調中　四日[20]」

第一次大戦後に連合艦隊司令長官を務め、後に海軍大将になった当時の海軍軍令部次長、竹下勇の日記にも平野丸の遭難について記述がある。

「十月五日　土　曇后晴

出勤。

仏軍聖カンタン（サンカンタン）占領の確報来着す。

夕刻軍令部より電話あり。ロンドン飯田少将よりの電話に、三日午前六時愛蘭の南方六十浬の地点にて、平の丸（ママ）独潜の為撃沈せられ乗組員三十名米艦に救助せらると。此船には藪少佐の一行乗込、二日リバープール（ママ）を出帆せしものなり。[21]」

撃沈の日付を「三日」としているのは4日の誤りだが、自身がその知らせを聞いた日付は日記で間違えようもないので、海軍に日本時間の5日午後には、最初に情報が伝わったと考えられる。

現地の日本大使館はどう動いたのか。駐英大使の珍田捨巳は、後に第一次大戦休戦後のパリ講和会議で全権委員の一人となる有力外交官だった。珍田は2等書記官の矢田七太郎と海軍武官の大関少佐を直ちにクイーンズタウンに派遣し、生存者からの聞き取り調査などを行った。

当時の駐英大使、珍田捨巳（国立国会図書館蔵）

珍田は公電で、英当局が平野丸の撃沈について公表をしぶり、正確な情報が入ってこないと不満を示している。こうした状況は10月15日の英下院でも取り上げられている。質問者は、平野丸が出港したリバプール選出[22]の保守党の下院議員ロバート・ヒューストン卿だった。

「日本の汽船、平野丸は撃沈されたのか否か。なぜ11日まで国民がこの事件を知らされなかったのか」とヒューストン卿が追及したのに対して、トーマス・マクナマラ海軍政務官は、平野丸が4日に撃沈されたことを認めた上で、「南アフリカ出身の乗客が多数乗船しており、南アフリカ関係者に無用な懸念を抱かせないよう、当時船団にいた艦船が帰還し、行方不明者についての詳細が明らかになるまで事件の公表を差し控えていた」と釈明している。

日本大使館は当時、東伏見宮依仁（よりひと）殿下の訪英の準備に追われていた。殿下は、2022年9月に死去した英女王、エリザベス2世の祖父で当時の国王ジョージ5世に「元帥」の徽章と刀を贈呈するため英国に派遣された。殿下は皇族出身の海軍軍人で、英国にも留学し、1911

年のジョージ5世の戴冠式にも明治天皇の名代として出席するなど、英国とゆかりの深い皇族だった。ジョージ5世に「元帥」の徽章と刀を贈呈することになったのは、同じ18年にジョージ5世から大正天皇に「元帥」丈が授与されたことへの返礼だった。皇族の訪英準備の中での事件に大使館はてんてこ舞いだったに違いない。

平野丸が撃沈された10月4日、殿下一行を乗せた日本郵船の伏見丸は太平洋を横断中で、カナダ・バンクーバーの港に近づいていた。平野丸の遭難が一行の耳に入ったのは上陸後の11日、カナダ西部カルガリー郊外の牧場を視察している車中のことだった。[23]

殿下は北米大陸を横断し、大西洋を渡って、28日、英国南部プリマスのデボンポート海軍基地に到着した。翌日付の英紙デイリー・ミラーの1面には、上陸する殿下一行の写真が大きく掲載されている。殿下は29日にはジョージ5世に謁見し、徽章と元帥刀を捧呈（ほうてい）した。30日付の同紙は国王が「天皇陛下からの最も大切な友情の証しとして末永く大事にする」と述べたと報じている。

殿下はその後、フランス、イタリアを訪問して再び米国経由で帰国した。平野丸を含む日本の商船がドイツ潜水艦の犠牲になる中、殿下らが危険を冒して大西洋を横断して英国を訪問したことに英側は深く感謝し、開戦後初めて、約4年ぶりにバッキンガム宮殿での正式な晩さん会を開いて、一行をもてなした。

1919年1月7日、英国から戻り東京駅に着いた東伏見宮依仁殿下（当時の絵はがきより）

『昭和天皇実録』によると、当時皇太子だった昭和天皇は10月10日、英国視察から戻った海軍少佐、益子六弥から潜水艦や潜航艇などについての英国での視察結果のご進講を受けた。当然、後述するドイツの無制限潜水艦作戦の状況について報告が行われたのだろうだが、タイミングを考慮すると、その作戦の犠牲になった平野丸についても話が及んだのではないかと考えられる。2日後の12日には、皇太子は横浜港から戦艦山城に乗り、連合艦隊による東京湾での潜水艦襲撃演習を視察している。

一方、日本郵船は8日、臨時の重役会議を開いた。そして、「死亡者に対してはでき得るだけの方法によって弔意を致し、行方不明者は急速に捜索の方法を講じて、せめて死体なりと発見したいものと存じます。従来、郵船の所属船で遭難したのは数隻に上りますけれども、船客を失ったことはかつてなかったのです。その前例を頼みにして、万一を願っていたのに、この報告を受けたのは、かえすがえすも残念です」との談話を発表した。[24]

日本郵船のロンドン支店はちょうどトップが交代時期で不在だった。支配人（支店長）だった石井徹が帰国し、後任の水川復太が10月に着任する直前のタイミングだった。両者の交代は人事発令上、6月5日だったが、実際にはタイムラグがあったようだ。

20年後の1938年に日本郵船の社長になる寺井久信は当時、ロンドン支店に勤務していた。寺井の伝記によると、支店トップがいない中での大事件に、寺井が中心となって「平野丸遭難者救護委員会」をつくって対応に当たり、寺井自身は「あいている支店長室に陣取って自分の思うとおりにどんどん仕事をしていた」という。[25]

打ち上げられた遺体

遭難から3、4日後、アングルから約35キロ北東のフィッシュガードの海岸に遺体が上がったとの知らせを受けて、日本郵船のロンドン支店の若手社員2、3人が現地に駆け付けた。しかし、人相も分からないほど遺体の損傷は激しく、日本人と判別できたのは着衣からだった。

遺体は地元の墓地に埋葬された。派遣された若手の一人で、当時ロンドン支店の調度係兼庶務係だった吉川顕三は後に、簡単な葬儀が地元で行われ、小学生も参列してくれて、社員一同が感謝をしたと語っている。[26]

ウェールズの地元紙ハバフォードウエスト・ミルフォードヘブン・テレグラフの10月16日付の紙面に、検視官が海から引き上げられた8人の遺体について検視を行ったとの記事が掲載されている。横浜正金銀行の青木喬の妻と息子であることを正金銀行関係者が確認したとの記述があり、ロンドンから駆けつけた正金銀行関係者も対応に当たったことがうかがえる。日本郵船の吉川も正金銀行の青木一家らの遺骨を受け取りに行ったと述懐している。この際に吉川も同行していたのかもしれない。

同紙の同じ記事には「Shers Ohosaki」という名の24歳の給仕の遺体も確認されたとある。一見して日本人の名前のような、そうでないような印象を受けるが、アングルの教会裏の古い墓標に書かれた「大越四郎」は確かに24歳の1等給仕だったことを考えると、この遺体が大越のものだったと考えて間違いなさそうだ。「他の4遺体は一見して船員のようだった」ともあり、恐らく制服の着用など外見上、乗組員であることが明白だったと思われる。

ウェールズの中心都市カーディフのウエスタン・メール紙の10月17日付紙面に載る同様の記事も事実関係が一致する。記事は、それまで1週間ほどで南ペンブロークシャー各地に8遺体が漂着し、いずれも平野丸乗船者で男性5人、女性1人、子供2人で、若い男性1人を除く7人は日本人だったとしている。この女性と子供は青木夫人と息子の可能性が高い。さらに、この記事では、ペンブロークシャーの検視官によりアングルで6遺体の検視が行われ、身元が確認されたのが給仕の「Shiro Okoshi」と、英国人牧師カールトン師の息子の2人だけだったとしている。

ロンドンでは10月18日、日本郵船ロンドン支店の主催で、犠牲者の追悼会が日本人会で開かれた。談話室に設けられた祭壇に、白木づくりの位牌や写真を据え、珍田大使らが犠牲者の霊を弔った。英国滞在中だった真宗大谷派の僧侶、山辺習学や赤沼智善が式を執り行った。

このほか、乗客のうちロンドン在住者だった横浜正金銀行の氏家洗耳、青木喬両家族については、10月20日、正金銀行ロンドン支店の巽孝之丞支配人の邸宅で追悼会が行われ、2人の出身校の在ロンドン同窓会や銀行関係者が集った。同じ日には、ロンドン総領事館宅で、渡邊副領事の追悼会が行われたほか、23日には海軍事務所で、海軍の藪少佐、山本主計少監の追悼会があった。乗客の岩永義賢夫妻についても19日に知人らが追悼会を開いている。[27]

運命のいたずら

平野丸にたまたま乗り合わせて、帰らぬ人となった犠牲者がいた一方で、すんでのところで命拾いをした人々の記録も残されている。少年団（ボーイスカウト）日本連盟の初代理事長や貴族院議員などを務めた二荒芳徳(ふたらよしのり)もその一人だ。欧州視察から戻る帰路に、平野丸の船室を予約していた。知り合いだった総領事館の渡邊副領事と同じ船で帰ることを喜び、「戦争も終わりに近づき、近々和議が成立するということだから、ドイツの潜水艦の脅威もほとんどないとみていいだろう。実に長い間、われわれは苦しめられた」などと振り返り、副領事とお互いに帰国を楽しみにしている気持ちを語り合っていた。[28]

ところが、二荒は日本への帰国前にもう一度フランスの田舎を回ってみたい気持ちになった。せっかくの機会なのでと、フランスに渡ったために平野丸の出港に間に合わず、電報を打って船室の予約を取り消した。運命の10月4日はフランスの田舎の旅をのんびり続けている最中だった。平野丸遭難の悲報を聞いて愕然とし、「乗船券の予約状を手にして、茫然自失となった。自分の身辺に『死』が迫っていたにもかかわらず、『死』は自分を避けて通り過ぎていった」と、運命のいたずらを知ったときのことを記している。

日本の社会教育や音楽教育の先駆者で、文部官僚として米英に留学していた乗杉嘉壽（のりすぎよしひさ）も同じような体験をしている。平野丸で帰国するつもりで乗船予約をしていたが、都合ができてキャンセルした。事前に平野丸に乗ることを日本に知らせていたとみられ、文部省などの知人からひどく心配されたという。犠牲者の中には、米国から英国に渡る際の船で一緒になった海軍将校2人や、ロンドンで知り合った日本領事館の副領事がいた、と振り返っている。[29]

さらに、日本で初めて船舶用のディーゼル機関を開発した新潟鉄工所の技師長の本儀正と、技師の山下良彦の二人も、平野丸に乗るつもりだった。二人は前年の1917年に英国に渡り、世界屈指のディーゼル機関の製造会社、英国のマーリーズ・ビッカートン・アンド・デー社（Mirrlees, Bickerton & Day Limited）で実習を受けていた。いよいよ帰国となり、10月1日出港の平野丸が一杯だったため、予定を変更、代わりに6日にリバプールを出港する客船でニューヨークに渡り、北米経由で11月27日に帰国した。第二次大戦前に新潟鉄工所の社長を務めた笹村吉郎は自伝の中で、次のように記している。[30]

二荒芳徳

新潟鉄工所蒲田工場跡に立つ日本船舶用ディーゼル機関発祥の地」の碑＝東京・大田区

「本儀君一行が満員のため難を免れたことは、独り一行の幸運たるのみならず、実にわが鉄工所のためにも天佑で、誠に慶賀に堪えぬところであった。」

1921年に東京・蒲田工場を完成させた新潟鉄工所は同年、マーリーズ社の設計図を参考にして、日本で初めて船舶用ディーゼル機関を誕生させている。2001年に経営破綻した同社の蒲田工場跡は現在、住宅団地の敷地になっており、「日本船用ディーゼル機關発祥の地」との石碑が残されている。もし、二人が遭難していれば、同社のディーゼル機関開発には遅れが生じていたかもしれない。

憤激する英国

平野丸が撃沈されてから1週間もたたない10月10日、アイルランドの首都ダブリン郊外と英国ウェールズのアングルシー島を結ぶ郵便定期船レンスター[31]が、ドイツのUボート、UB

123に魚雷攻撃で撃沈された。560人以上が死亡する大惨事で、多数の英国人が乗っていたことから、英国の世論の怒りが爆発した。

10月11日付のロンドン紙グローブは、ドイツのUボートが平野丸に続いて再び民間人を乗せた商船に無警告での魚雷攻撃を行ったことについて、「悪魔のような残忍さ」と表現している。「これらのUボートは戦争するために出撃したのではない、殺人を犯すために出撃したのだ」「ドイツ人は人類の敵になった」と、これ以上ない厳しい表現でドイツの行為に怒りをあらわにした。

さらに、英政府に対して、当時英国領だったアイルランド沿岸にUボートの秘密拠点があるのではないかという噂を徹底調査するよう要求し、ドイツ側にも、今回の非道な行為を命じた者、実行した者に対して最も厳しい懲罰を加えるよう断固として主張した。

国際世論の厳しい批難を受けてか、ドイツ政府は平野丸とレンスターの撃沈について、公式のコメントを出している。「直接戦争に関与していない市民が死亡したことは遺憾に思う。しかし、敵側のメディアが扇動しているのとは全く異なり、客船と輸送船の区別を付けることは困難だということを強調したい。英空軍兵士が爆弾を投下する際にドイツ軍兵士とベルギーの市民を区別することが不可能なのと同じである」という内容で、民間人が被害を受けた際のそれまでのコメントと同様の内容にとどまっていた。[32]

1918年10月10日、ドイツのUボートに撃沈された郵便定期船レンスター（当時の絵はがき）

ただ、戦局が決定的になっている中での平野丸とレンスターの撃沈は、ドイツ政府内の一部や中立国にも驚きを与えたようだ。10月13日のロイター通信は、二つの事件を受けて、ドイツの海運業界は米国のウィルソン大統領の講和条件を受け入れるべきだとの意見で一致しつつあり、受け入れなければ革命や内乱は避けられないとの声がドイツ財界内で出ていると伝えている。[33]

実際、産業界の懸念通り、11月初旬には皇帝ヴィルヘルム2世は退位に追い込まれ、革命によって帝政ドイツは崩壊した。極論すれば、大戦最終盤での平野丸などの撃沈、それによる多数の犠牲が、ドイツ帝国崩壊の引き金を引いた出来事の一つだったと言えなくもない。

帰国した生存者

米駆逐艦スタレットに救助された生存者は、アイルランド南部クイーンズタウンで降ろされた。平野丸の悲劇の6年前である1912年に、北大西洋で氷山に衝突し、沈没した有名な豪華客船タイタニック号が最後に寄港したのが、アイルランド有数のこの港町、クイーンズタウンだった。

平野丸の生存者の乗客30人は英国人やオランダ人、ベルギー人など外国人ばかり11人、乗組員は全員日本人で19人。1等機関士の濱田を筆頭に、火夫や石炭夫、料理人見習いや給仕という職務で、多くが10代から20代の若くて体力もある船員だった。外国人乗客2人は軽傷を負っていた。このほか、スタレットに引き揚げられながら途中で息絶えたベルギー人乗客が1人いたとも伝えられている。

濱田や服部ら日本人乗組員は10月8日未明にリバプールに戻った。撃沈時の記録を残した実習生の服部は、平野丸が出港する際に「どうも（リバプールに）帰ってくるような気がしてならない」という思いがよぎったと記している。その言葉はやや後付けの脚色が含まれているような気がするが、いずれにしても事実、九死に一生を得て、出港したリバプールに舞い戻ったのだった。

生存者の日本人乗組員は、そこから日本郵船の丹波丸で帰国の途に就いた。濱田らが神戸港に着いたのは12月27日のことだった。代表して新聞社の取材に応えた濱田は「(スタレットから投げられた)綱にすがってかろうじて命拾いをした」などと当時の様子を証言している。[34] 濱田らは29日朝、汽車で横浜に到着、帰国した給仕二人を抱きしめた知人は涙を流したという。二人は生きて帰ったことについて「胸が一杯で、本当に夢のようです。何を申し上げて良いか分かりません」と語った。[35] 濱田はただちに日本郵船本社に詳細を報告した。

翌年の2月4日、横浜・鶴見の曹洞宗總持寺で日本郵船が主催する犠牲者の追悼会が行われた。日本郵船の須田利信副社長が弔辞を読み上げ、海軍省軍令部長の島村速雄大将や幣原喜重郎外務次官、横浜正金銀行などの関係者ら、参列者は4000人を超えた。

取材の中で、その際の写真を目にする機会があったが、喪服姿の遺族や関係者が広い本殿の大広間をぎっしりと埋めていた。贈られた多数の花輪が改めて犠牲者の数の多さ、被害の大きさを、際立たせていた。遺族席からすすり泣く声が聞こえる中、沈痛な表情で弔辞を読んだ和服姿の男性が濱田だった。

昭和を代表する大スター、石原裕次郎の墓もあることでも知られる總持寺の広大な敷地に

横浜・鶴見の總持寺にある「殉難船員の碑」

は、第一次大戦で撃沈された日本郵船の船員らを追悼する二つの慰霊碑がある。1918年12月に日本郵船の労働組合「郵司同友会」が建立した「欧州戦乱殉難会員の碑」と、翌年11月に同社が建てた「殉難船員の碑」である。東郷平八郎の手による題字がある殉難船員の碑には、平野丸のフレイザー船長（後述）ら犠牲となった乗組員の名前が刻まれている。1923年の関東大震災で倒壊した後者の慰霊碑は、26年に再建された。

ところで、日本海に面した新潟県岩船郡（現・村上市）の出身だった商船学校実習生の服部は、遭難から7年後の1925年8月、救恤申請を行っている。その申請書には、現住所は東京府豊多摩郡代々幡町（現・東京都渋谷区）、職業は文具商と記されている。申請書によると、服部は帰国後、肋膜炎や肺炎をわずらい、約1年4カ月静養した後、再び船に戻って1920年に商船学校を卒業した。実習生として世話になった日本郵船に就職したものの、1924年5月、船員生活を断念した。若くして大変な事件に遭遇し、健康を損ねたことがその後の人生にも影響したようだ。服部は後に商船学校校友会の主事として、同窓会誌の編集に携わったほか、キリスト教聖公会新聞の編集もしていた。

4 犠牲者たちの群像

遺族の救恤申請書

平野丸の乗客は97人、うち生存者は11人。乗組員は143人で助かったのは19人だった。つまり、全体で240人の乗船者のうち生存者は計30人だった。入手した乗客名簿によると、乗客97人のうち、日本人は15人。乗組員のほとんどが日本人だったのと比べて、日本人乗客は思いのほか多くない。このうち12人が1等船室の乗客で、福岡市の自宅に戻るため神戸で下船予定だった八幡製鉄所書記の柴田信を除く全員が横浜まで行く予定だった。

乗客名簿には国籍の記載がないため、日本人以外の乗客がどこの国の人々だったのかは定かではない。だが、下船予定の寄港地からある程度想像することができそうだ。日本人以外と思

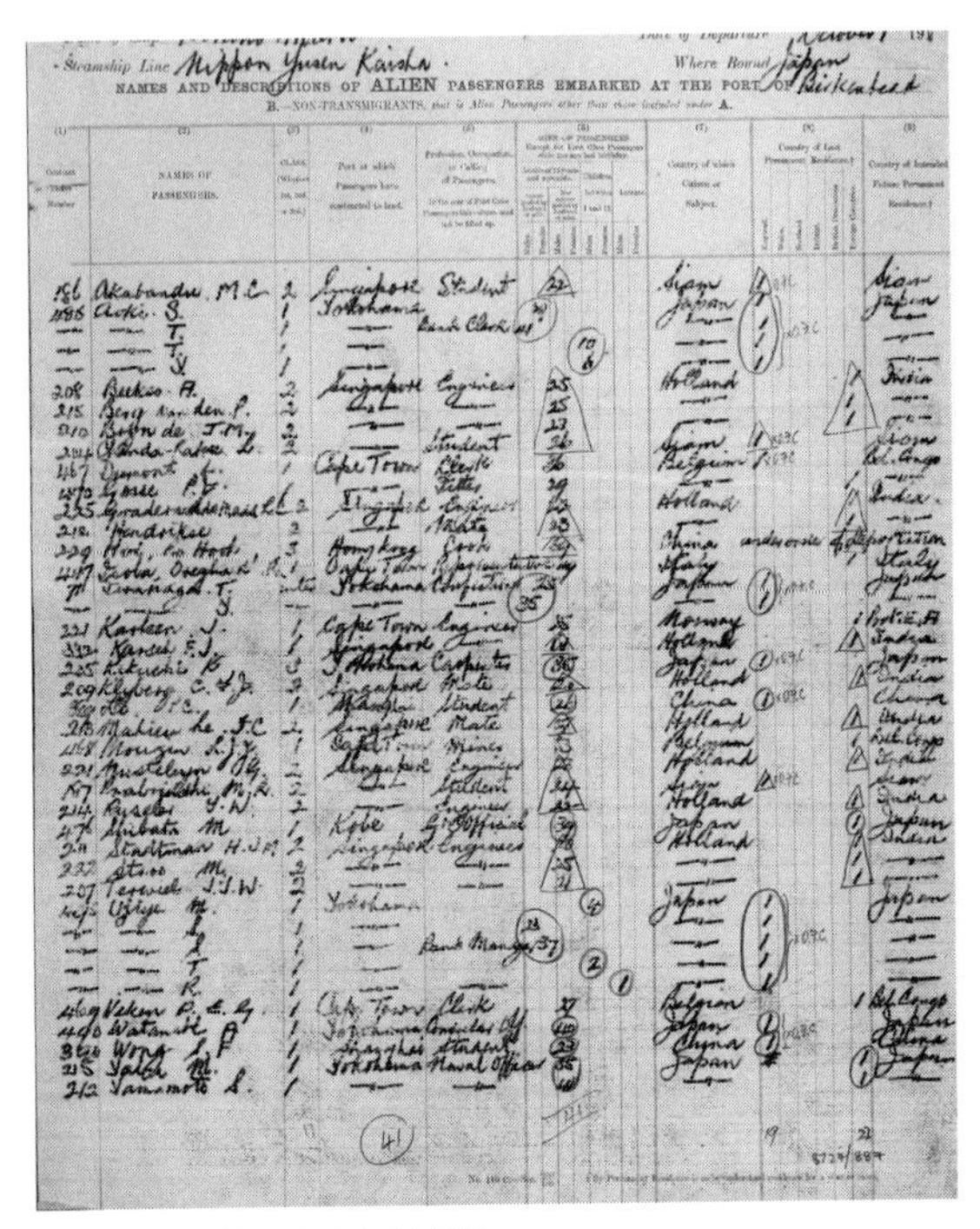
Steamship Line Nippon Yusen Kaisha　Where Bound Japan
NAMES AND DESCRIPTIONS OF ALIEN PASSENGERS EMBARKED AT THE PORT OF Birkenhead
B.—NON-TRANSMIGRANTS, that is Alien Passengers other than those included under A.

乗船者名簿（英国立公文書館蔵）

日本人乗客 15 人

山本新太郎（海軍）
藪正毅（海軍）
渡邊朝次郎（外交官）
氏家洗耳一家５人（横浜正金銀行）
青木喬一家４人（横浜正金銀行）
岩永義賢・タツ夫妻（西洋菓子職人）
菊地今朝之助（元職工）

われる名前の乗船者は、南アフリカ南部のケープタウンで下船予定だったのが33人、同国東部ダーバン6人。シンガポール27人、香港10人などとなっている。南アフリカのケープタウンやダーバン経由だったために、英軍と共に欧州戦線で戦った南アフリカなど植民地出身者が多数含まれていた。

そんな中で手に入れたのが救恤申請書だった。既に記した通り、当時の制度に基づいて遺族が政府に申請を出した「見舞金」の書類である。一人一人の本籍、住所、遺族の名前、遺失した所持品などが記載された膨大な書類を目にして、それまでひとかたまりの数字としかイメージできなかった乗客、乗組員が、一気に具体的な姿を持つ人間として迫ってきた。

日本人乗客15人についても詳細が分かった。海軍の山本新太郎主計少監、藪正毅少佐、日本総領事館の渡邊朝次郎副領事が含まれ、横浜正金銀行ロンドン支店の副支配人、氏家洗耳の一家、同支店の青木喬の一家、官営八幡製鉄所の書記、柴田信もいた。

海軍士官、外交官、銀行員、鉄鋼マン――。犠牲となった乗客たちは、日本が第一次大戦をきっかけとして、大きく世界の進出していった時代に、欧州の最前線で活躍していた人たちだった。それぞれの人生の糸が交差する場として平野丸という一つの船に偶然乗り合わせた彼らこそ、激動の国際情勢を生きた当時の日本の映し鏡なのではないか。彼らの人生をもっと知りたいと、興味を抱いた私は、さらに政府の公文書、当時の新聞などをむさぼるように読んだ。

身重の妻残して

海軍主計少監・山本新太郎（中村良子さん提供）

2019年4月にロンドン駐在を終えて帰国後、私が真っ先に話を聴かなければならないと考えたのが、アングルの慰霊碑建立計画の記事を見て連絡をくれた中村良子さんだった。中村さんは、平野丸に乗り合わせて亡くなった祖父、山本新太郎・海軍主計少監の資料を持っていた。その年の秋、桜並木の近くにある中村さんの東京・小金井の自宅を訪ね、中村さんの手元に残るアルバムやご家族の資料などを見せてもらい、詳しい話を聴いた。アルバムには、被災直後にロンドンの日本人会で行われた追悼式の写真なども残されていた。

昔は当たり前のことだったのだろうが、養子を迎えたり、名前が変わったりしているため、中村さんが語ってくれる一族の話は複雑で、一度ではなかなか頭に入らなかった。家系図を手元に置きながら、何度も繰り返し話を聴いた。合わせて、入手できる公開資料と話を突き合わ

海軍経理学校の碑（東京・築地）

せた。浮かび上がってきたのは、山本が将来を嘱望されたエリート海軍士官だったことだ。

山本は1877年（明治10年）10月10日、青森県下北郡田名部町（現・むつ市）で生まれた。母せきは戊辰戦争で青森・下北半島に逃れた会津藩士の娘で、地元の男性と結婚して旅館を始めた。[36]新太郎は旅館の跡取り息子だったが、勉強したい一心で家督を妹に譲り、故郷を離れて上京した。東京で、同郷の人の世話で弁護士の書生をしていたが、海軍の委託生として東京高等商業学校（現在の一橋大学）[37]に学び、1903年に卒業した。

翌年8月には海軍の少主計に任官している。少主計とは、会計、庶務、被服、糧食を担当する海軍主計部の階級で、少尉に当たる階級である。[38]

山本はその後、軍艦の事務や経理を取り仕切る主計長などを養成する海軍経理学校の甲種課程で学び、[39]1913年5月に最優秀の成績で修了、[40]恩賜の銀時計を受けた。2番、3番は旧薩摩、長州藩の出身者だったので、会津の血を引く新太郎の母は「薩長に勝った」と大いに喜んだ。この時、海軍大学校で行われた卒業証書授与式で、大正天皇の名代として銀時計を新太郎ら成績優秀者に授与したのが、平野丸が撃沈された直後に訪英した東伏見宮依仁殿下だった。
山本は長崎・佐世保の海軍鎮守府勤務を経て、1917年12月、海軍の中枢である軍令部に配属された。欧州を戦場とする第一次大戦の知見、教訓を日本の海軍改革に生かすための調査研究活動を行う「臨時海軍軍事調査会」委員となり、その活動の一環として、藪正毅少佐、西義克機関中佐と米国や英国、フランス、イタリア、スペインの欧州各国に視察の旅に出ることになった。
藪は34歳、西は35歳、そして山本が40歳。[41] 帝国海軍のエリート3人が東洋汽船の「さいべりあ丸」に乗り、横浜港を出発したのは翌18年4月4日のことだった。中村さんの手元にあるアルバムには出発当日の写真が残されている。帽子とコート姿の山本のりりしい姿。着飾った子供たち。幸せそうな家族の様子が垣間見える。このちょうど半年後の10月4日、3人のうち視察を続けた西を除く、藪と山本の二人が日本への帰途に遭難するとは、つゆほども想像していなかったに違いない。[42]
山本は同僚5人と連名で、英国滞在中に行った英海軍の工場視察に関する報告書を残している。[43] 山本は現地で合流したとみられる海軍の同僚と、7月11日から21日にかけて、軍艦などを建造していた英国南東部ケント州のチャタム工廠、西部チェプストウにある国立造船所、南部ポーツマスの砲術学校、水雷学校などを見学している。報告書にはチャタム工廠で修理中の

1918年4月4日、横浜を出港する日の山本新太郎と家族（中村良子さん提供）

軽巡洋艦や駆逐艦、潜水艦の要目などの詳細が時に手書きの図入りで記述されている。細かい情報でも漏らさずに報告し、大戦のさなかにある英海軍の現況から学ぼうという熱意がかいまみえる。

報告書で山本らは、視察したどの工場でも工業用品が豊富にあること、最新鋭の設備があることについて「交戦四年後の今日もなお、綽々として余裕あるを示すがごとし」と驚きを示している。また工場での分業制度が徹底され、生産性を上げていることに感嘆し、英海軍が、戦時下での需要だけでなく戦後にも備えた生産力を確保するため、女工の育成にも努めていることを特筆している。

山本は、出産を間近に控えていた妻とみを東京・四谷の自宅に残していた。出産手伝いのために青森県から上京していた山本の母せきは、海軍省から平野丸遭難の知らせを受け、息子の身を案じ、食事も喉を通らないほどだった。同時に、嫁のとみにショックを与えないように、悲報を知らせず、急きょ自宅ではなく病院で出産するよう手配した。

とみは平野丸が撃沈されて6日後の10月10日、女の子を出産したが、さらに2週間、せきは嫁に山本の死を隠し通した。いよいよ、とみにそのことを告げた際、会津藩士の血を引くせきは「武士の妻というものは……」と前置きして話し始めた。とみは到底、涙を流すことなど許されない状況だったという。

生まれた女の子は、山本が米国などへの出張中だったことにちなんで、アメリカ（亜米利加）の一字を取って「利子」と名付けられ、届けが出された。それが中村さんの母親である。

11月1日に行われた海軍の合同葬を報じた新聞記事には、とみが「まだ主人の遭難を聞いて1週間にもならず、それも詳しい事情が分かりませんので、まるで夢のようでございます」と顔を伏せた、とある。

山本の息子、つまり利子の兄の新助は、自分が幼いころに平野丸で遭難した父の写真アルバムを大事に保存していた。新助自身もその後、太平洋戦争の際にベトナムに渡り、その後、行方不明になっている。アルバムは新助の妹である中村さんの伯母の手に渡り、さらに中村さんが引き継いだ。[44]

運命のいたずらか、利子が生まれた10月10日は、奇しくも山本の41歳の誕生日だった。中村さんは、命を継ぐように生まれた自身の母、利子について「祖父の生まれ変わりなのではないかと思う」と話した。母とさえ会ったことがなかった祖父について、強い想いを持っている理由がよく分かった。山本について、どんな人だったか伝え聞いているかと中村さんに尋ねてみると、「いたずら好きでおちゃめな人だったそうです」という返事が返ってきた。中村さんは母から聞かされていたわずかなエピソードを大事にしているようだった。

アングルで行われた慰霊碑除幕式の前夜、私は、日本から遠路はるばる、わざわざこのために駆けつけた中村さんらと、ウェールズの中心都市カーディフで夕食を共にした。中村さんは、山本につながる記事を書いた私のために、日本からお土産を持参してくれていた。

渡された包みを開けると、白地に藍色で絵付けされた古い英国の陶器の小皿、コーヒーカップの受け皿が出てきた。描かれていたのはイングランドの古城ケニルワース城。裏には20世紀前半に英国で最も有名な陶磁器メーカーの一つだったジョンソン・ブラザーズ社の名前があった。山本新太郎が英国滞在中、土産として日本に別の便で送った形見の品だった。山本は撃沈された平野丸と命運を共にしたが、英国土産は無事に留守宅に届いた。それを送った山本の家族を思う気持ち、そして、撃沈後にその包みが届いた時の遺族の気持ちを考えると、痛ましい想いで胸が一杯になった。

覚悟している

私は、山本主計少監と共に平野丸に乗船していた海軍少佐、藪正毅を次の調査のターゲットに据えた。海軍士官であれば、残されている資料も多く、記録をたどれば、藪がどのような人物であるのかを知ることは容易なのではないかと想像した。

藪は1883年（明治16年）6月の生まれ。小倉藩士の家系、士族の出で、本籍は福岡県京都郡泉村（現在の行橋市）だった。東京の日比谷中学を出た後、1901年に広島・呉の海軍兵学校に入り、日露戦争最中の1904年11月に卒業した。海兵32期の同期192人の中には、後の連合艦隊司令長官、山本五十六元帥[45]や、太平洋戦争開戦時の東条内閣で海軍大臣を務めた嶋田繁太郎大将、その前々任の海軍大臣の吉田善吾大将、横須賀鎮守府司令長官だった塩沢幸一大将、さらに山本五十六の親友だった堀悌吉中将がいた。

入学時の成績は塩沢がトップ、山本五十六が2番、堀が3番で、藪は83番。ところが、卒業時にトップになった堀には及ばなかったものの、藪は4番と成績をぐんと伸ばしていた。在学中に猛烈に勉学に励んだ跡がうかがえる。山本や堀らが藪について何か書き残しているものはないか探してみたものの、見つけることはできなかった。その後の激動の時代を生きた軍人らにとって、不幸にして早くに亡くなった同期の記憶は薄れてしまっていたのかもしれなかった。

藪は船舶の無線や通信などを専門としていたようで、大尉だった1911年に海軍の米国駐在員としてハーバード大に留学、無線電信電話の調査研究を行っている。防衛省防衛研究所に残る報告書によると、同年7月に着任し、ハーバードでの研究を10月に始めた藪は、米バージニア州アーリントンの米海軍の大規模無線電信所などを視察した。だが、もっぱら家庭教師に付いて英語を学びつつ、米国事情の視察の名目で米海軍士官らとの交流を深めることが目的だったようだ。

第一次大戦開戦直後の1914年には青島攻略戦を展開した第二艦隊の旗艦周防に通信参謀として乗艦、翌年には駆逐艦初霜（初代神風型）の艦長を半年余り務めた。平野丸事件の前年に出版された一般向けの『火と燈』という本で、「探照燈の話」というタイトルでサーチライトについて小文を記している。[46]

留守宅は東京市本郷区駒込神明町（現在の東京都文京区本駒込）にあった。平野丸遭難の報を受けて、東京朝日新聞の記者が訪れると、妻ぬい（24）の父が応対に出た。「先程海軍省と郵船会社から知らせがあったが、どうか無事であるようにと一同祈っているところです。正毅は海軍省より欧米出張を命ぜられ、去る4月4日に東京を出発した。元来すこぶる筆無精の性で、出発以来、音信はわずかに二度しかない。桑港（サンフランシスコ）倫敦（ロンドン）から各一度

海軍合同葬（中村良子さん提供）

共に無事であるというだけだった。最近のは先月中旬に米国からであったが、それはただ、十月初めに帰京するというだけの知らせだった。それでは帰朝も間もないことと、一堂首を長くして待っていたところだった。けれども万一不幸にあったとしても戦時中のことであるから本人は勿論、娘も十分覚悟をしていることと思う。正毅は小倉の出生で、三十六歳（数え）子供はまだない。酒もあまり飲まぬ方で、これという道楽もないが、ただ刀剣には多少趣味を持っていて、わずかながら集めたものがある。家族は両親のほか、十二歳と九歳の弟がある」と話した。[47]

後の海軍省人事局長の証明書には、藪の遺体は収容することができなかったとの記述があり、行方不明のままだったことが分かる。

藪、山本の海軍合同葬は11月1日、東京・築地の水交社と青山斎場で行われた。水交社は海軍士官らのクラブで、隅田川に近い築地市場跡地[48]の近く、山本が学んだ海軍経理学校のそばにあった。終戦でいったん解散したものの再結成され、現在は海上自衛隊ＯＢや戦死者遺族らの任意団体として存続している。

防衛省防衛研究所に残る「藪中佐、山本主計中監の合同葬儀式次第書」と題する葬儀の記録によると、同じ臨時海軍軍事調査会にいた藪の3期先輩、溝部洋六海軍中佐ら10人が幹事を務めた。午前中に水交社での「慰霊祭、棺前祭」が行われ、遺族や海軍軍令部長の島村速雄らが榊を捧げ、海軍軍楽隊が儀礼曲「命を捨てて」を演奏した。藪、山本の空の霊柩が砲車に移された後、正午に出棺の時刻となると、儀仗隊が厳かに敬礼をし、軍楽隊の演奏と共に、葬列が青山斎場に向けてゆっくり進んだ。斎場では、祭主の拝礼、祭文に続いて、弔辞が読み上げられた。皇族による代拝が行われ、喪主、親族、幹事がそれぞれ拝礼した。当時の新聞は、絶えず涙をぬぐっていた藪の妻ぬいの憔悴し切った様子や、母の裾をいじっていた山本の子供たちのあどけない様子を報じている。

藪の経歴、業績はできる限り調べたが、遺族を探すことは難航した。本籍は福岡県ながら、日比谷中学を出ていることを考えると、早くから東京で暮らしていたことになる。救恤申請書に記載された藪の住所は、今はマンションになっていた。福岡県の本籍地の周辺で藪という姓を片っ端から調べてみたが、電話すると、いずれも「うちはその人の親戚ではない」という言葉が返ってきた。子供がなかったことを考えると、直系の親族はおらず、福岡にいるとしても遠い親戚でしかない。100年前に亡くなった藪正毅のことを知っている人を見つけるのは至難の業だった。結局、調査は暗礁に乗り上げた。

手紙届いたばかり

ロンドンの日本領事館の副領事、渡邊朝次郎は、任期を終えて帰国する途中だった。留守宅で10月7日、時事新報の取材に応対した愛子夫人は「平野丸で帰ることに決まった」とロンドンから朝次郎が出した手紙がその日の朝届いたと記者に明かした。平野丸が撃沈されたとの連絡が郵船会社からあったのは夕方になってからだった。「生存者の中に加わっていてくれればよいと案じております」と心配そうに語った。愛子夫人は「宅には母のつまと私と二人きりで帰朝を待っておりますので……」と心細そうな様子を見せた。

救恤申請書によると、渡邊は1878年（明治11年）4月生まれで、当時40歳。1911年、外務省の翻訳官補として大臣官房記録課に配属された。英語が堪能だったのだろう、1914年4月にはニューヨークの総領事館の書記生になった。平野丸遭難の前年の7月10日、ロンドン副領事として着任している。当時、ロンドン総領事館は外務書記生を除けば、山崎馨一総領事をはじめ、計3人の陣容で、副領事の渡邊が一番下だった。平野丸のような日本人が関係するような事件や事故があれば、本来ならば自分自身がその対応に奔走しなければならない役目だった。

前出の長岡隆一郎は英国滞在中、渡邊と知己を得ている。長岡が当時滞在していたロンドンの地区は、在留邦人でも「あまり裕福ではない連中」が集まって住んでいた。その地区に住まいを構える日本人で懇親会をやろうという話が持ち上がり、そこで渡邊と知り合った。9月8日、懇親会に出席した仲間と、帰国することになっていた渡邊の送別会を開いた。ニューヨークに赴任する直前に結婚し、新婚だった渡邊は横滑りでロンドンに単身赴任していた。喜色満面にあふれた様子に「バカにご機嫌じゃないですか」と冷やかしたら、「久しぶりの帰国ですから」と笑顔を見せた。渡邊も、日本に残る夫人も、再会する日をどれほど楽しみにしていただろうか。

当時「日本人会」と呼ばれていた在留邦人の親睦団体「日本クラブ」は、1912年7月に、ロンドンの商業中心地オックスフォード・サーカスに近いモーティマー通りに新しいクラブハウスを開いた。オープニングの式典には、後に首相となる加藤高明駐英公使が出席している。第一次大戦中に日本から欧州への輸出は飛躍的に伸び、日本企業の支店や在留邦人の数も増えた。日本人が集まり、交流を深めたクラブハウスに、単身赴任だった渡邊も足繁く通っていたことは間違いない。

渡邊副領事は事件後の10月16日付で領事に昇進している。翌19年の2月9日には、青山斎場で葬儀が営まれ、愛子夫人や親族、友人、外務省高官ら数百人が参列した。その後、提出された救恤申請書は愛子夫人ではなく、4歳上の実姉で養母となっていたつまが提出している。愛子夫人とは離縁の手続きを取ったようだ。[49] まだ若かった未亡人の将来を考え、新たな人生を歩ませてあげようという配慮からだったのかもしれない。

渡邉についても、救恤申請書の住所から、東京・青山の付近を探してみたが、同姓のお宅への電話に対して「うちの家族が移ってきたのは太平洋戦争後なので、違うと思う」との言葉が返ってくるだけだった。渡邉についても親族を探すことはできなかった。

金融界の期待の星

横浜正金銀行のロンドン支店副支配人、氏家洗耳(37)は、日本への帰国の途中、一家全員で犠牲となった、氏家は妻サヤ(23)と3人の子供を連れていた。長男の正也は4歳、次男達郎はもうすぐ2歳、三男錬平も間もなく1歳になろうというところだった。

氏家の救恤申請書は他の乗客、乗組員とは趣を異にしていた。楷書のきれいな字でつづられた嘆願書が付いていたからだ。申請したのは母いと。そこには氏家の生い立ちから、いかに将来を嘱望された優秀な人物だったか、そして残された家族の絶望と悲嘆が縷々記されていた。氏家がどんな人物だったのか、強い興味がわいてきた。

氏家一家（『故氏家洗耳君記念誌』より）

横浜正金銀行は、現在の三菱UFJ銀行に統合された旧東京銀行の前身だ。日本の貿易や外国為替、金融取引を専門とする特殊銀行で、かつて世界三大為替銀行とも称された。設立は日本銀行より2年古い1880年。大隈重信や福沢諭吉が設立にかかわり、渋沢栄一も株主の一人だった。横浜正金銀行は金や海外通貨の調達を図ることを役目とし、明治・大正期の日本が世界に進

横浜正金銀行ロンドン支店が入っていた建物。現在も外観はほとんど変わらない（2023年8月撮影）

出するに当たって、重要な役割を担っていた。

現在は神奈川県立歴史博物館として使われている旧横浜正金銀行本店の建物が完成したのは1904年7月のことだ。美しいドームを持つネオ・バロック様式で、関東大震災や横浜大空襲も乗り越えた荘厳な建物は重要文化財に指定されており、正金銀行の存在の大きさを強く感じさせる。

当時、ロンドンの市場は国際金融取引の中心的な役割を果たしていた。日露戦争に当たり、日本が戦費調達のためにロンドンで公債を発行した際に実務を担ったのが正金銀行ロンドン支店だった。正金銀行の外国為替取引の主な部分を担い、軍事物資調達のため英国やフランス、ロシアが発行した短期国債の銀行幹事団なども引き受けていた。

当時、ロンドンで発行されていた在留邦人向けの日本語雑誌「日英新誌」の冒頭ページにも、横浜正金銀行のひときわ大きな広告が掲載されている。三井物産や住友銀行、日本郵船も広告を出しているが、横浜正金銀行の存在感はロンドンに事務所を置く日本企業の中でも際立っていたことが広告の大きさからもうかがえる。

ロンドンの日本企業駐在員らでつくる現在の親睦団体「日本クラブ」は、その歴史を140年以上前の1881年にまでさかのぼる。会長ポストは日本郵船、横浜正金銀行の流れをくむ三菱UFJ銀行、三井物産の3社が現在も1年交代で勤めている。この3社が創設当時にロンドンに進出した代表的な日本企業である歴史的な経緯を背景にしている。[50]

氏家はその横浜正金銀行ロンドン支店の副支配人、今で言えば副支店長の立場だった。支店はビショップスゲイト7番地、英国の中央銀行であるイングランド銀行の近くにあった。支店が入っていた建物は、ほとんど当時の外観をとどめた形でオフィスビルとして現在も使われている。

当時の支配人は取締役の巽孝之丞（こうのじょう）。世界の金融センターであるロンドンでの業務の重要性から、支配人には取締役を充てることになっていた。長くロンドンで暮らした巽は若い留学生、芸術家、研究者らの面倒をよくみていた。ロンドン支店で巽の下で働いた、後の同行幹部が記した巽についての回想録[51]によると、巽は営業上の日常の実務を副支配人に任せ、重要事項に関与するだけだった。

当時は副支配人が二人いて、一人は氏家、もう一人は後にロンドン支店の支配人、さらには頭取になる大久保利賢（としかた）[52]だった。従って、氏家も日々の支店業務を取り仕切っていた一人と考えることができそうだ。英国の新聞は氏家、そして同時に犠牲になった同支店の青木喬について「（ロンドンの金融街）シティーでは知られた人物」と紹介している。[53]

氏家は1881年（明治44年）2月、関ヶ原の戦いの舞台ともなった宿場町、岐阜県・牧田村（現在の大垣市）に生まれた。吉田清助の三男だったが、姉が嫁いだ氏家家に18歳の時に養子に入った。氏家家はかつて大垣城主も務めた名家で、日本テレビの代表取締役会長、日本民間放送連盟会長、読売新聞グループ本社取締役相談役などを務めた氏家齊一郎氏（故人）とは遠縁に当たるという。

牧田小学校を卒業後、滋賀県の中学校に進学、奈良や東京の中学に転校し、旧制第一高等学校から東京帝国大学法科大学（現在の東大法学部）で学んだ。常に抜群の成績で、小学校以降、トップでなかったことはほとんどなかったほどの秀才だった。1905年、東京帝国大学の卒業式の際には、明治天皇も出席する中で、成績優秀者として恩賜の銀時計をもらっている。[54]

氏家は大学卒業と同時に、正金銀行に就職した。日露戦争のまっただ中だった。優秀さを認められて入行からわずか約3カ月でロンドン支店に配属となり、1909年、横滑りでインドのムンバイ（孟買）支店に異動した。約2年後には30歳の若さでムンバイ支店の副支配人に抜擢された。いったん帰国して大阪支店の副支配人となったが、1915年、今度は副支配人と

東京朝日新聞

平野丸遭難者

邦人の船客十六名
正金銀行員海軍將校
副領事等の紳士多し
◇九日中には詳報到着

▲乘客九十七名

▲易者に身の上判斷
▽無線電信局長
▽門田氏の夫人

▲夫人は目下病氣危篤
氣の毒な林三等機關士の家

▲津山船醫

▲田所技手

◇安否を氣遣はるゝ人々◇

平野丸乗客らについて報じる東京朝日新聞 1918年（大正７年）10月８日付朝刊

して2度目のロンドン支店勤務をすることになった。

1912年に結婚した妻サヤは京都帝国大学理工科の教授や学習院院長、宮内庁顧問などを務めた物理学者、山口鋭之助の次女だった。良家の子女を妻としたことは、それだけ氏家が将来を嘱望されていた超エリートだったことの証しだ。

平野丸撃沈直後の1918年10月8日付の東京朝日新聞によると、当時宮内省の諸陵頭[55]だった義父の山口は、取材に対して、救助された生存者がいると聞いたとした上で「氏家もどこかに混じっていてくれるよう祈っている」と答えた。

同じ紙面には氏家一家の写真が載っており、うち一枚には「家庭教師に抱かれる氏家氏の令息」と説明が付いている。家庭教師とされる女性二人は外国人とみられ、下の子供二人はまだ幼かったことから、家庭教師というよりは子供の世話をする乳母のような人たちだったのだろう。

いずれにしても写真からは氏家一家がロンドンで上流階級の生活をしていたことが垣間見える。達郎と錬平はロンドンで生まれ、初めての帰国となるはずだった。10月10日に着いた内田外相宛ての珍田駐英大使の公電には、2、3歳ぐらいの子供を抱いて、波間に漂いながら助けを求めていた日本人女性がいたという、生存者の証言が出てくる。スタレットの乗組員が引き揚げようとしたところ、女性はスクリューに接触して即死した。当時の新聞も、女性の着衣の裾がスクリューに巻き込まれ、女性が無残な姿になってしまったという話を伝えている。[56] 氏家の妻だったとの証拠はないが、氏家の息子二人はまだ小さかったことを考えると、もしかしたらと思わせる。

氏家、青木両家の葬儀は10月20日、青山斎場で執り行われた。同じ日の読売新聞朝刊には、氏家、青木両家が出した黒い縁取りの死亡広告が掲載されている。犠牲となった両家族のために二つの柩が用意され、家族の写真や肌着、帽子など、実家に残っていたとみられる遺品が収められた。葬儀委員長は、翌年には日本銀行総裁となり、後に蔵相も務めた横浜正金銀行頭取の井上準之助が務め、日本郵船社長の近藤廉平のほか、高橋是清蔵相、山本達雄農商務相も出席した。国際金融業務の最前線で活躍していた優秀な行員を失った井上頭取は、「悲痛を極めた弔辞」を朗読した。

東京帝国大学法科大学を同じ年に卒業した同窓生の中には、第二次大戦前に外相や首相を務めた広田弘毅や、日本銀行の営業局調査役や群馬大同銀行（現在の群馬銀行の前身）初代頭取を務めた斎藤虎五郎がいる。斎藤は自身の回顧録[57]で、氏家について「英法で一番だった氏家洗耳君は第一次世界戦争の頃、（中略）ドイツの潜航艇にやられ一家沈没死亡したのですが、実に有為の大人物でした」と振り返っている。法科のイギリス法専攻でトップの成績だったことが分かる。

斎藤は回顧録の座談会で、葬儀での井上の様子を記録している。井上は弔辞を読みながら「氏家を死なせてしまったのは、自分がこんな時に転勤を命じたからだ」と言い終わらないうちに、声を上げて泣いた。斎藤は、帰りの車で一緒になった井上が人前で涙を流したことできまりが悪い様子だったと話したのに対して、座談会で「私は決してそう思いませんでした」と語り、氏家を失った井上の痛惜の念に深く心を動かされたと記している。

翌年10月4日、井上は東京・湯島の麟祥院での一周忌の法要でも追悼演説を行っている。この時、既に日銀総裁となっていた井上は、氏家の思い出を詳しく語っている。1918年の4月か5月ごろに、ロンドン支店の氏家に「途中の（航路の）危険がないようならば日本に帰ってこないか」と書き送った。氏家はしばらくして、多少の危険は感じるが、帰朝することは自分の義務と思う、という趣旨を電報で伝えてきた。井上はこれに対して、「多少なりとも危険を感じるならば無理に帰るには及ばない」と折り返したが、この電報を見ないまま出発したのか、音信がなかった。井上の元に氏家の消息が伝えられたのは10月7日、一家が乗った平野丸遭難の報だった。井上は危険があるのに転勤を命じた形になったことを大いに悔やんだ。

井上と氏家は十年来の付き合いで、銀行の上司と部下という関係を越えて、気が合った友人のようだった。氏家について井上は、「例えば金融市場に於いては一億円という金はどのくらいの力を持っておるものか、この市場から一千万円という金を引き上げたならば、どんなような影響を及ぼすか、五千万円という金を調達するにはどういう風な工夫をしなければならぬか」というような、銀行家として最も重要な「数に関する判断力」を持っていたとし、「ゆくゆくは総支配人となりまして正金銀行全体の仕事を預かってゆく上にも適当なる人物と思いました」と高く評価している。つまり、将来は横浜正金銀行の頭取に育てたい、そのために大戦さなかのロンドンで欧米の事情を学ばせようと考えたのだった。

氏家の死後2年後にまとめられた『故氏家洗耳君記念誌』には、第一高等学校の同級生で、後に鉄道省次官を務めた中川正左（しょうざ）が氏家の思い出を記している。氏家を「理性の人であり、また思索家であった」とし、柔道やテニスなどの運動もやったが、それほど上手ではなかったと記している。同じ副支配人だった大久保利賢の妻で、首相や蔵相を務めた高橋是清の三女、大久保和喜子は親交があった氏家の妻サヤについて、家庭的で、とても器用で裁縫や料理も上手だったとし、「日本の家庭のご婦人としてお手本となるべきお方」と振り返っている。

同級生や友人らは、財界のホープと目されていた氏家の死を深く嘆き、悲しんだ。事件の翌年、募金をして氏家を記念する基金を設立し、牧田村の役場を通じて、利息を定期的に母校の牧田小学校に送ることを決めた。発起人は後の貴族院議員の佐竹三吾や斎藤虎五郎、大久保利賢、広田弘毅ら40人。集まった2476円を100年の定期預金とした。

現在は大垣市の一部となっている旧・上石津町の町史に氏家の名前や基金設立の経緯が記さ

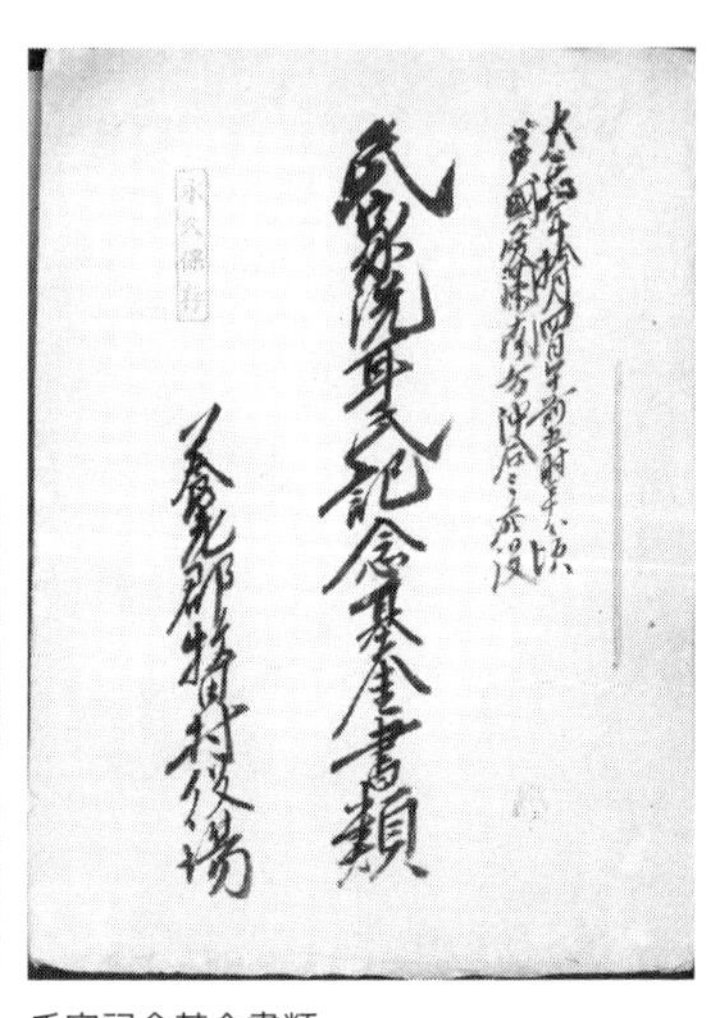

牧田小学校の氏家記念碑

氏家記念基金書類

れているのを発見し、大垣市立牧田小学校に連絡を取ってみた。すると、校長の渡邉友三郎さんから丁寧な返事が届いた。驚いたことに、小学校の敷地内には氏家の記念碑があり、学校の資料室には基金に関する古い綴りが今も保管されている、という内容だった。

小学校では、基金の利息で優秀な卒業生に賞品を送ったり、運動会の賞品や運動場の鉄棒の購入に充てたりしていた。しかも、地元の歴史に詳しい高桐秀夫さんが「百年定期」の存在を知り、氏家について調査をしていた。すでに満期になっているはずの定期預金は額面通りなので、少額のままであると思われる。実際にどうなっているかは、個人情報の壁があり、残念ながら分からないとのことだった。

2023年1月、氏家の生まれ育った牧田に

氏家洗耳と一家の墓。牧田小学校の渡邉友三郎校長

足を運んだ。氏家の親族に会うことはできなかったが、氏家が小学校に通っただろう道を歩き、渡邉校長や高桐さんの話を聴いた。氏家一家の墓に参ることもできた。

渡邉校長は「氏家の同僚や同級生らが基金のお金を牧田に送ったということは、氏家のような立派な人物を牧田から再び送り出してほしいという願いがあったのだと思う」と話した。

2023年で開校から150年を迎えた牧田小学校は、生徒数の減少のため、23年度末で閉校することになっていた。牧田小が輩出した郷土の名士であり、正金銀行頭取どころか日銀総裁にもなっていたかもしれない氏家の非業の死を渡邉校長は残念に思っているようだった。

ところで、小説家の永井荷風（1879～1959年）は1903年、父親の勧めで渡米、ニューヨークの横浜正金銀行支店、さらにはフランスに渡って、リヨン支店で、通算2年数カ月、勤務していたことがある。このころの経験を元に執筆したのが、代表作の『あめりか物語』(1908年)、『ふらんす物語』(1909年)だった。

永井荷風が大正から昭和の世相やそれに対する批評をつづった『断腸亭日乗』は1917年から始まっている。自身が勤務したことがある横浜正金銀行の2家族が命を落とした平野丸の事件について、何らかの言及をしていないかとして調べてみたものの、残念ながら記述はなかった。ただ、第一次大戦終結を祝う人出が都内でもあったと記し、11月21日の項目には「この日欧州戦争平定の祝日なりとて、市中甚雑遝(ざっとう)せり」と書いている。

子供の教育のため

氏家と同じ横浜正金銀行のロンドン支店の計算課長、青木喬(41)と妻、季(すゑ)=(29)、長男の泰(10)、次男の譲(6)の一家4人も同じ平野丸に乗っていた。

青木は、戊辰戦争で敗れて青森に移り住んだ会津藩士の四男として1877年(明治10年)9月に生まれた。当時、父は青森県庁に勤めていたため、県庁敷地内の官舎で産声を上げた。その後、父が神奈川県に出向となり、一家で移住した。[58]

青木は、高校野球の強豪校として知られた市立横浜商業高校の前身、横浜商業学校を卒業し、1898年に横浜正金銀行に入行した。銀行業務の中でもさまざまな計算を行い、帳簿の管理を行う本店の計算課で勤務、サンフランシスコ支店にいたこともあった。1906年にサンフランシスコで大地震が起きた際には「すんでのところで助かった」（青木の兄の証言[59]）という。ロンドン支店に転勤となったのは1913年のことだった。

青木はすっかり英語が上手になった息子二人に、日本で教育を受けさせようと考えた。今回の帰国で家族を日本に帰し、自分は休暇が終われば一人でロンドンに戻る計画だった。「久しぶりに休暇をもらったから帰国する。船は平野丸の予定で準備している」との手紙が2日前に実家に届いたばかりだった。

10月20日に執り行われた氏家、青木両家の葬儀について報じた読売新聞には、青木の遺族のコメントが登場する。その一人は「死んだという確実な報告を得ないうちは、今もなお生存しているように思われて、何となく葬式の気分になれません。実際、一家が子供まで全滅したとはどうしても思われませんから、今日はこうして葬式は致しましても、後の音信を待って、死んだのが真実ならば、その時は写真でも入れて最後の埋葬を行うつもりです」と語り、いまだに信じられない様子だった。

その思いが通じたのか、発見された青木の妻と息子一人の遺体はロンドンに運ばれて荼毘（だび）に

青木喬家の墓（横浜・成仏寺）

付され、遺骨が日本郵船の三島丸で翌年1月20日に神戸港に到着した。遺骨が安置された船内の談話室で、出迎えの遺族らが焼香し、行方不明のままの他の家族も含めた冥福を祈った。

国会図書館で、青木家の一人が一族の歴史を記した文書を見つけたことをきっかけに、青木家の墓が横浜・東神奈川駅近くの浄土宗、成仏寺にあることが分かった。会津藩士だった父や、一家の葬儀で喪主を務めた長兄らの墓と並んで、「青木喬家の墓」があった。墓石の裏面には、平野丸遭難からちょうど1年後の「大正8年10月4日」の日付、「遺髪、遺品」を埋葬したと理解できる言葉が刻まれていた。犠牲者の一家4人だけでなく、ご遺族の無念を思いながら、手を合わせた。

鉄鋼ブームの中で

官営八幡製鉄所の書記、柴田信は1878年（明治11年）1月生まれの40歳。書記という職種は製鉄所の事務職員の中核で、中央や地方の自治体勤務の経験者が多かった。政府官庁職員の名簿をまとめた「職員録」（大正7年）には、農商務省・製鉄所の項に柴田信の名前が載っている。名簿の順番から考えると、50人ほどいる書記の中でも筆頭クラスだったようだ。

柴田が製鉄所の将来を担うことを期待されていた人物と考えられるのは、柴田が米英両国への研修留学生だったからだ。柴田は1916年9月、製鉄所から海外研修を命じられ、同年12月に横浜港を発った。翌17年8月にはオハイオ州アライアンスの「モーガン・エンジニアリング社」などへの臨時出張を命じられていた。単なる留学というよりは、大戦による戦時需要に沸く米国の産業界の現地視察が目的だったのだろう。

柴田については、当時の上司、製鉄所の副参事だった小林運重が自身の回顧録の中で言及している。[60] 当時、製鉄所が留学や視察のため海外に派遣するのは、主に技術者であり、事務職は少なく、柴田の留学は「異例出色」だったと指摘している。柴田は製鉄所に入所後すぐに用度科購買掛に配属され、そこで実績を認められ、留学生として派遣された。小林は柴田を「正直者」と評し、留学の成果を持って帰国する途中で犠牲となったことを「痛悼（つうとう）の至り」と表現している。

柴田は1918年6月にニューヨークからリバプール経由でロンドンに移り、同年9月末までロンドンに滞在している。平野丸に乗船したのは1年10カ月に及んだ視察研修旅行の帰途だった。小林によると、船の便の都合で帰国を繰り上げ、たまたま平野丸に乗り合わせた。

柴田は八幡製鉄所のエリート官吏ながら、必ずしも豊かな暮らしをしていたわけではなかったようだ。救恤申請書によると、母親や妻、養女だけでなく、早くに亡くなった長兄の妻やその長男、長女、そして同じく早世した次兄の妻、長男、次男、三男と長女の面倒もみていた。子供達の学費を工面するために製鉄所の俸給だけでは不十分で、翻訳などの内職をして生活費をかせいでいた。柴田家には他に家計を支えられる者はなく、突然の出来事で大黒柱を失った家族は、家屋敷を手放さざるを得なかった。こうした申請書の記述が事実であれば、残された家族の苦境は想像に難くない。

八幡製鉄所は当時、第一次大戦による鉄鋼ブームに沸いていた。日本国内では重工業が発達すると同時に、海運業が盛況となり、次々と大型船舶が造られた。大戦前までは国内鉄鋼需要を満たすのは、多くを輸入に頼っていたが、大戦により各国が鉄鋼の輸出禁止措置をとったため、日本への供給が滞った。八幡製鉄所は1916年には、鋼材生産の目標を倍近い65万トンとする「第3次拡張計画」に着手した。翌年には製鉄業奨励法が制定され、政府は製鉄所に対して各種の税制面での優遇措置を講じ、鉄鋼生産を奨励した。こうした追い風の中で八幡製鉄所は、世界の鉄鋼や機械産業の現場を柴田に視察させ、将来、経営の中枢を担わせようと考えていたのかもしれない。

奇しくも柴田と海軍の山本新太郎は、いずれも1903年卒業の東京高等商業学校の同期生だった。柴田は福岡、山本は青森の生まれで、二人とも地方から出てきた優秀な学生だった。学生時代から面識があったのだとすると、同じ平野丸に乗り合わせた奇遇に驚き、懐かしさから船内で杯を交わし、昔話に花を咲かせただろうか。悲しい運命を共にすることになるとも知らずに。

本場で学んだ洋菓子職人

軍人、外交官、銀行員などが1等船室の乗客だったのに対して、特別3等船室に、横浜に向かう一組の日本人夫婦が乗っていた。岩永義賢(26)と妻のタツ(25)の二人だ。岩永の実兄、幸三郎から提出された救恤申請書の職業欄には、岩永は菓子製造業、妻はタイピストとある。住所は、現在は中国・大連巾の一部となっている旅順。お菓子作りの技術を学ぶために渡った英国から、修行を終えて帰る途中だった。

菓子製造業、タイピストとの記述に最初は「珍しいな」としか思わなかったが、救恤申請書をよく読んで、その歴史的な背景を知ると、大正時代の日本の姿が浮かんできた。

遼東半島の先端にある旅順は、良質な軍港がある戦略の要衝で、日本とロシアがその権益をめぐって激しく争った歴史の舞台である。遼東半島は日清戦争で清から日本に割譲されたが、フランス、ドイツ、ロシアの三国干渉により返還された。代わってロシアが旅順と大連を清から長期租借することに成功すると、旅順の要塞を太平洋艦隊の基地として使用、大連を商業港として開発した。日露戦争で旅順は有名な「二〇三高地の攻防戦」などの激戦地となったことで知られている。

その後、日本政府はロシア時代の建物を接収し、岩永が住んでいたころの旅順は、ロシア統治時代の雰囲気を残すモダンな街並みだったようだ。多数の日本人が暮らし、遼東半島先端部の関東州を統治する機関、関東都督府が置かれていた。1909年にハルビンで伊藤博文を暗殺した朝鮮の独立運動家、安重根が旅順監獄に収監され、処刑されたのは1910年。平野丸の事件の8年前のことだ。

岩永が初めて欧州に渡ったのはその翌年の9月、19歳になったばかりのことだった。関東都督府から旅行許可を得て、大連から上海経由でフランス・マルセイユに渡り、フランス、ドイツ、ベルギーで1年ずつ修行を積んでいったん帰国、1916年に再び渡英した。平野丸に乗船したのはその帰路だった。

21歳離れた兄、幸三郎自身も菓子職人で、旅順で東光堂という菓子店を営んでいた。和菓子だけでなく、洋菓子も扱う店で、設立は1906年[61]、日本の地名が付けられた旅順旧市街の

旅順・敦賀町通りの絵はがき。大正８年４月10日のスタンプがある

末広町、敦賀町、名古屋町に店があり、青島に支店も持っていた。

当時の旅順・敦賀町の写真をあしらった古い絵はがきを手に入れたが、大陸らしい広い大通りが長く伸びている様子が写っており、ホテルの看板も見える。日露戦争の犠牲者慰霊のために建てられた白玉山神社への参拝記念の文字と「大正8年4月10日」の日付が入ったスタンプが押してあった。多くの日本人が訪れていたのだろうと想像できる。

ネットで見つけた1908年の東光堂の広告には、店で販売している主な菓子としてビスケット、マシュマロ、煎餅、満州飴などと書かれている。幸三郎は救恤申請書に合わせて提出した内田外相宛の請願書で、弟について「苦心研究大いに得たるところあり、帰国後、母国及満州において大いなる活動をなさんこと期し……」と記している。岩永は西洋菓子の技術を学び、持ち帰ろうとしていた。[62]

日本に洋菓子が伝えられたのは16世紀のことだ。そのころは南蛮菓子と呼ばれ、キリスト教布教のために日本にやってきたポルトガルなどの宣教師がカステラ、金平糖などを持ち込んだ。つまり、鉄砲やキリスト教と共に洋菓子も伝来したのだった。幕末の開国、明治維新を経て、さまざまな洋菓子が日本に入ってくるようになり、日本でも洋菓子がつくられ始めた。明治末期から大正時代は、日本に住む外国人や一部の特権階級のものだった洋菓子が、庶民の生活にも徐々に浸透していった時代だ。

不平等条約の改正によって日本が関税自主権を回復し、輸入菓子の関税が上昇したことが国内の製菓業を後押しした。日清戦争で日本が台湾を支配下に置き、ぜいたく品だった砂糖の大量生産が始まったことで、日本人の日常生活に砂糖を使った菓子が浸透するようになった。さらに、第一次大戦中は欧米からの西洋菓子の輸入が途絶え、好景気によって日本国内での生産が活発になり、逆に日本の製菓業は輸出産業となった。

1914年に森永製菓が箱入りのミルクキャラメルの販売を開始し、平野丸事件のあった1918年には森永製菓がミルクチョコレートの製造を始めている。1922年にはグリコが

1914年発売の箱入りミルクキャラメル（森永製菓株式会社提供）

発売されるなど、私たちが現在親しんでいる菓子類がまさに大衆化したころだった。[63] 神戸市の洋菓子メーカー、ユーハイムの創業者で、日本で初めてバームクーヘンを焼いたドイツ人のカール・ユーハイムは、第一次大戦中に日本が占領した山東半島の青島から捕虜として連れてこられ、戦後日本に店を開いた。

岩永の救恤申請書には、被害財産として現金や時計、指輪、衣服などと並んで、菓子製造器との記載がある。老舗フランス菓子店、コロンバンを創業した門倉国輝は、1921年に渡欧してパリの有名店、コロンバンで修行した際に、攪拌機（ミキサー）、アーモンドの皮剝き機、ブドウの種抜き機、シュークリームの種つくり機、チョコレート型抜き機などを目にし、攪拌機を購入して日本に持ち帰った。[64] 大志を抱いて、職人として西洋菓子の本場で学んだ岩永青年は、英国で、あるいは欧州のどこかで入手したこの製造器で、どんなお菓子を作ろうとしていたのだろうか。

一方、妻タツの渡英の目的について、救恤申請書には「タイピングの技術を学ぶため」とあ

大手商社、鈴木商店本店（神戸）のタイピスト室（1920～21年ごろ、鈴木商店記念館提供）

る。夫に付いて渡った英国で、タイピングの学校に通っていたのかなど、実際にどの程度本格的に学んでいたのかは不明だ。ただ、西洋菓子と同様、タイピストという職業が当時の日本の世相を反映していることに興味をそそられる。

第一次大戦期の経済発展に伴い、企業や官庁などで働く事務員の需要が高まった。現代のOLの先駆けとも言える事務員や、バスガイド、店員、電話交換手、美容師などの「職業婦人」と呼ばれる女性たちが誕生した。その中でもとりわけ、手書きの書類をタイプライターで清書するタイピストは、女性の人気の職業で花形だった。高いスキルが求められると同時に、書類の間違いも指摘できる高い教養も必要で、給料も比較的高かった。第一次大戦後の1920年代には、西洋文化の影響を受けたこうした職業婦人が増加し、「モダンガール」（モガ）と呼ばれる女性たちが登場してくる。平野丸の犠牲者の一人は、日本に戻ればモガと呼ばれるような女性だった。

通信ケーブル敷設船の職工

残る日本人乗客一人は、最も下のクラス、3等船室に乗っていた岩手県江差郡田原村（現在の奥州市）出身の菊地今朝之助（35）だ。当時の新聞記事には犠牲者の一人として菊地の名前が出てくるものの、他の乗客のように家族の証言など、菊地がどんな人物だったかを知ることができる情報は見つけることができなかった。実家が遠隔地で、記者が取材に出向くことが困難だったのか、それとも3等船室の乗客として軽視されたのか。それでも救恤申請書のわずかな記載から極めて興味深い事実が分かった。

菊地は英国の海底ケーブル敷設船「ロード・ケルヴィン」の作業員として働いていた。病気を患って退職し、平野丸に乗り合わせたのは英国から日本への帰路だった。しかも、菊地にとって、乗っていた船がドイツのUボートに撃沈されたのは2度目だった。

菊地は1907年ごろから日本国内の航路で、船舶乗組員の大工として勤務していた。その後、外国航路の船に移り、山下汽船（現在の商船三井の前身の一つ）の商船、靖国丸に大工として乗船していた。1915年1月3日夕、ニューヨークからギリシャ・テッサロニキ港に向かう途中、スペイン沖の地中海でUボートの魚雷攻撃を受けて、靖国丸は沈没した。船長や乗組員は小型ボートに乗り移り、全員が救助され、命拾いをしたが、その一人が菊地だった。靖国丸は第一次大戦でUボートの餌食となった最初の日本の船だった。

救助された船長や乗組員は翌年3月、日本郵船の伏見丸で帰国を果たしている。ただ、42人の乗組員のうち、実際に帰国したのは27人だった。帰国を伝えた1916年3月22日付東京朝日新聞朝刊の記事には、一部が帰国しなかった理由について、船員不足に悩む日本船や欧州の船舶会社からの要請に応じ、本人たちが現地で就職を希望したためとある。乗っていた船が沈没し、働き口を突然失った彼らが、転職の打診に飛び付いたことは想像に難くない。根拠があるわけではないが、菊地が英国の海底ケーブル敷設船に乗るようになったのも、このタイミングなのではないかと考えられる。

海底電信の研究でも知られる英国の著名物理学者、初代ケルヴィン男爵ウィリアム・トムソン（1824～1907年）にちなんで名付けられた「ロード・ケルヴィン」は1916年に就役した。1963年に退役するまで、第二次大戦の戦中、戦後を通じてケーブル敷設の作業を続けた。菊地が乗っていたのは、ロード・ケルヴィンが就役して間もないころだった。

英国の海底ケーブル敷設船「ロード・ケルヴィン」

海底ケーブルが世界で初めて敷設されたのは1850年、ドーバー海峡の間のことだった。その後、大西洋横断ケーブルが敷設され、帝国主義の拡大や資本主義の発達と相まって、海外拡張のツールとして、海底ケーブルを通じた電信ネットワークが世界中に張り巡らされた。その中でも、ケーブルを敷設する資金力と技術力を持つ英国が世界のケーブル網の覇権を握っていた。戦争中には他国の通信を盗聴したり、遮断したりした。

第一次大戦の際も1914年8月、英国がドイツに宣戦布告した直後に、北海でドイツの海底ケーブルを切断している。英国は世界に広がる植民地や自治領と本国を結ぶ海底ケーブル網で宣伝、諜報活動を展開し、大戦の勝利に貢献した。19世紀から20世紀初頭まで世界に君臨した大英帝国を陰で支えたのは電信技術だったとも言える。[65]

信頼得た外国人船長

平野丸の英国人船長、ヘクター・フレイザーは1855年12月9日、英国スコットランド北部のライフィールドで生まれた。父親は地元で救貧査察官という官職の公務員を務めていた。19世紀末、外国航路の急拡大によって、日本人の高級船員の不足は深刻だった。特に、世界的な保険組合、ロイズが当時、日本人を船長とする船舶に対する保険契約を認めなかったこともあり、外国人船長が主力を占めていた。しかし、経費削減方針により外国人船員は整理され、次第に日本人を船長とする客船に取って代わっていった。フレイザー船長は当時の日本郵船で最後まで残っていた二人の外国人船長の一人だった。[66]

1899年の『船舶職員録』（逓信省編）には、フレイザーの名前があり、外国航路の船長の海技免許である「甲種船長」の登録は1894年10月31日とある。[67] 日本郵船が欧州航路を開く2年前、そして平野丸の事件の24年前という比較的早い時期から日本で外国航路の船長を務めていたことが分かる。

平野丸沈没を伝えたスコットランドの地元紙の記事は、フレイザーについて「外国航路の船乗りの世界では知られた人物で、日本の船に乗って25年になる」と記述している。[68] 日英交流史に詳しい歴史家オリーブ・チェックランドの著作にも、日本の海運業の発展に「最も影響があった外国人たち」として挙げた中に、フレイザーの名前を見つけることができる。

　フレイザーは、欧州航路の河内丸船長だった日露戦争当時の戦功から1907年に勲5等旭日章の勲章を授与されている。[69]具体的な戦功の内容は不明だ。鎌倉丸の船長も務めたが、各船の発着予定が記載されている『海商通報』では1908年12月、欧州航路の臨時船だった平野丸の船長としてフレイザーの名前が出てくる。平野丸は同月に竣工したばかりだったので、フレイザーは初代船長として10年に渡って平野丸の舵を取り、そして最後の船長でもあったことになる。

フレイザー船長（デービッド・ジェームズさん提供）

　日本郵船の船長を務め、第二次大戦中は陸軍輸送船の三池丸船長などを務めた徳永貞砥（さだと）は、1913年9月から17年10月まで、フレイザーの下で平野丸の次席3等運転士、[70]首席3等運転士、2等運転士を務めた。徳永は郵船OBの文集『若き日の思い出』[71]でフレイザー船長について「白髪童顔長身、資性剛直、態度謹厳のいわゆる英国型紳士」とした上で、「言葉に少

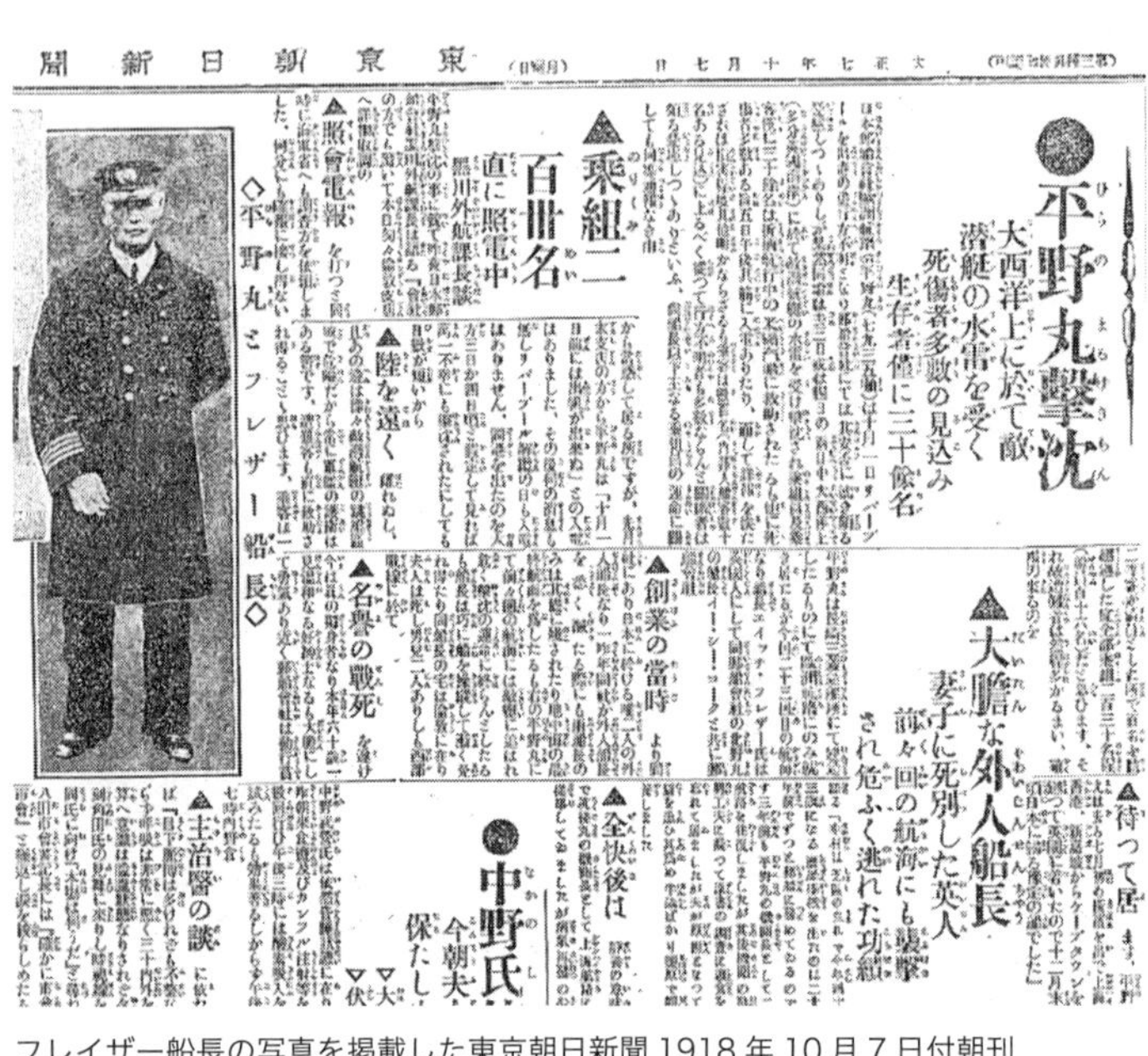
東京朝日新聞　大正七年十月七日

●平野丸撃沈
大西洋上に於て敵潜艇の水雷を受く
死傷者多数の見込み
生存者僅に三十餘名

▲大膽な外人船長
妻子に死別した英人
前々回の航海にも襲撃され危ふく逃れた功績

▲乗組二百卅名
直に照電中

▲創業の當時

▲陸を遠く

▲名譽の戰死

▲照會電報

◇平野丸とフレザー船長◇

▲待って居ます

●中野氏

▲全快後は

▲主治醫の談

フレイザー船長の写真を掲載した東京朝日新聞 1918 年 10 月 7 日付朝刊

しスコットランド訛りがあり、やや聞き取り難い点があったが、われわれが日常の職務遂行で諒解し得ないほどではなかった」と振り返っている。

「部下に対しては常に温顔を以て接し、部下の教育についても言葉少なく実行型と言うべきものであった」と記し、船内での勤務ぶりについて「私行上、大いに尊敬に値するものがあった。船長としては（乗客の）接待ぶりに相当務められた模様であるが、航海中、概ね自分で食事を取り、また読書に過ごしておられた。横浜停泊中はグランドホテルを宿として時々帰船して船内の情況を聴取されることもあり、決して数日間の長途旅行など試みられることはなかった」と称賛している。

興味深いのは徳永の思い出にはフレイザーの妻エリザベスが登場することだ。「ミドルズボロー[72]、アントワープ（オランダの港湾都市）寄港中は夫人を呼び寄せられたが、同乗させたり、船内に宿泊させたりされなかった。ロンドンに入港し、アルバートドックに係留のため舷梯の取付作業中の付近で、つつましげに待っておられる夫人に挙手敬礼を行った時、夫人が温顔に笑みをたたえて会釈されたことを今だに覚えている」。

さらに「船長の日常勤務ぶりたるや、実に船員の職務規程を地で行く真摯そのもの」とし、操船ぶりについても「注意深く危なげのないものであった」と、フレイザーの人柄や仕事ぶりを絶賛している。徳永自身も後に船長の重責を担うことになるが、「（自分が）一度も操船による海難事故を起こさなかったのは、（フレイザー）船長の操船ぶりをつぶさに目撃し、真髄を体得した賜であると確信し、感謝の念に堪えない」と、深い謝意と敬意の念を示している。

遭難から2年後、フレイザーに教えを受け、共に働いたことがある日本郵船の船員数十人が「私たちは、紳士的で品位ある船長の性格ついて、大いに称賛、尊敬の念を抱き、さらに私たちを同僚、部下として優しく、いつも公平に扱ってくれたことに対して感謝の気持ちを抱いてきた」などとする英文の追悼文に署名し、記念品と共に夫人に贈った。[73]

撃沈当時、リバプール港には日本郵船に雇われていたトーマス・ウォルポール・スコフィールドという英国人の水先案内人がいた。安全な航行のためマージー河口で日本郵船の船に適切な水路を教えるのが役目だった。乗客や乗組員以外でフレイザー船長と、恐らく最後に言葉を交わしたのが、フレイザーと家族ぐるみの付き合いのあったスコフィールドだったに違いない。最後の言葉は何だっただろうか。「戻ったら、一杯やろうぜ」と、声を掛け合っただろうか。

リバプールの海事博物館には、スコフィールドに宛て、フレイザーの娘が最後の様子を尋ねる10月9日付けの手紙が残されている。手紙には「どんなことでもよいので知らせてほしい」と、わらにもすがる気持ちで情報を求める言葉が並んでいる。

これに対して、スコフィールドは知りうる情報を書き送ったようだ。残念ながら、スコフィールドからの返信は海事博物館に残されていないため、内容は知ることはできない。ただ、それに対して、フレイザーの妻エリザベスが10月9日付で「最愛の夫、そして彼がとても愛していた船の最後について、知っている限りのことを知らせてくれてありがとう」と、礼を伝える手紙が博物館にある。

「平野丸が雷撃を受けたと聞いた時、全員救助でなければ、救助された乗組員の中に彼の姿はないとすぐに分かりました。(中略)愛する夫がこんなに残酷な形で奪われてしまうなんて、信じられないことです。私たちはリバプールではとても幸せでした。お互いにすべ

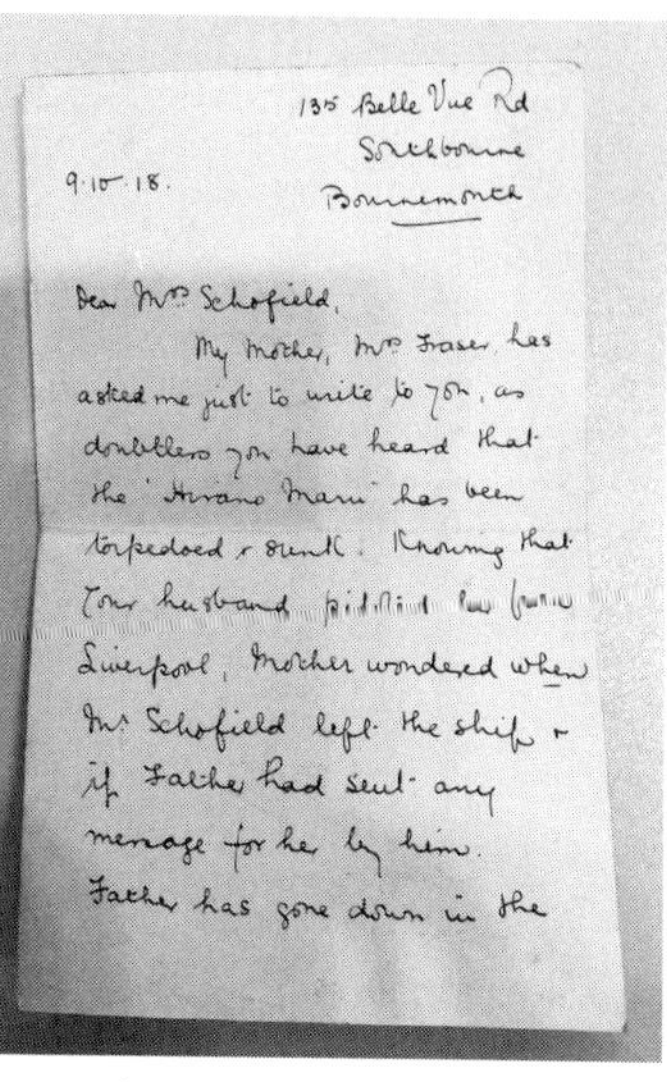

135 Belle Vue Rd
Southbourne
Bournemouth

9.10.18.

Dear Mrs Schofield,
My mother, Mrs Fraser, has asked me just to write to you, as doubtless you have heard that the "Hirano Maru" has been torpedoed & sunk. Knowing that your husband [illegible] from Liverpool, mother wondered when Mr Schofield left the ship & if Father had sent any message for her by him.
Father has gone down in the

フレイザー船長の娘からスコフィールド宛て手紙（リバプール海事博物館所蔵）

てを捧げてきたのです。私は12歳のときから主人を知っていましたから、彼が私の人生の一部であったことはご存知のとおりです。（中略）夫が救助されると考えるのは絶望的で、来世で再び出会うまで、私はこの重荷を背負うしかないのです」

短い手紙には、かけがえのない夫を失った深い悲しみや絶望、突然の別れを受け止め切れない苦悩がにじみ出ている。

フレイザー船長の墓碑は、一つは生地に近いスコットランド北部インヴァネス西方の村ストライー、もう一つはロンドン北部バーネット近くのヒルズ・ベル墓地にある。

生存の報、暗転

機関長だった中村重次郎（42）の留守宅は東京市芝区白金台町（現在の東京都港区白金台）にあっ

た。時事新報記者の取材に夫人のナヲ（28）は「航路が危険なので心配しておりました。まだ郵船会社よりは何の通知も参りません。無事でいてくれればよいと思っております」と、悲しみと不安が入り交じった様子で語った。

夫人の説明では、中村は上海航路の筑後丸からその年の6月に平野丸に移った後、まだ一度も帰宅していなかった。1カ月ほど前にスリランカ・コロンボから「自分は無事だ。皆はどうしている」という簡単な手紙が届いたのが最後だった。夫人の父親も中村について、寡黙で酒もたばこもやらない真面目で実直な人間だと、口をそろえた。中村には1男3女があり、地元の小学校に通っていた。

10月14日付時事新報には、ロンドン発10日のロイター通信の記事が掲載されている。そこには「機関長救助さる」という見出しが付いていた。記事には「高級船員中、救助せられたるは機関長のみにして、三等運転士は（救助に当たった米国の）駆逐艦内にて落命せり」とある。時事新報はロイター電に「右電文にある機関長とは中村重次郎氏ならん。然れば同氏は無事なるか」とコメントを付している。この時点では中村機関長の安否に関する情報はロイターの短い記事だけだったようだ。

14日付の東京朝日新聞は「喜びにふるえながら／半信半疑の機関長夫人」との記事が載っている。東京朝日の記者はロイターの記事を握りしめて、深夜、中村機関長の留守宅を訪ねたはずだ。応対に出たのは、ナヲ夫人の母親だった。「何より嬉しい便りです」などと答えているうちに、夫人も起きてきた。「ほんとうでしょうか」とやつれた頬に涙が伝った。そして震えながら「もし生存しているのが真実だといたしますと、私はなんだか他の遭難した皆さまにすまないようで、私の今までの心配に思い比べまして、他の皆さまがお気の毒でなりません。(中略)いっそ皆一人残らず死んでいたらあきらめがつくのです」と、喜びを押し隠しながら、他の犠牲者やその遺族に思いを致したのだった。

だが、残酷なことに、生存の知らせは誤報となってしまった。実際に救助されたのは機関長ではなく、1等機関士の濱田だった。喜びは暗転、ナヲ夫人は奈落に突き落とされたような思いだったに違いない。国立公文書館に日本郵船の手書きの乗組員名簿が残っている。フレイザー船長をはじめ、乗組員の名前が連なり、欄外に「死亡」との文字がほとんどの名前に記されている。「機関長　中村重次郎」の上にも「死亡」との記載があった。さらに、同じく国立公文書館所蔵の「損害申告書」には、中村重次郎について「機関長として乗組中、(中略)独逸潜航艇のために襲撃せられ沈没したる際死亡す」とあった。中村機関長は行方不明のまま、遭難翌年の1月19日、青山斎場で葬儀が行われた。

最後の瞬間まで

平野丸の無線電信局長、門田豊(30)は1887年(明治20年)11月、広島県沼隈郡田尻村(現在の福山市)に生まれた。無線通信の技術を習得して1902年、地元、広島の郵便局に就職した。当時は郵便局の主要業務が電信や電話だった。門田は日露戦争の際には、軍の電信隊付きの技師として出征している。1909年、逓信省の職業教育機関、通信官吏練習所の電信科を、1914年には無線電信科を終了した。

日本初の海上無線通信は、1908年に設置された銚子無線電信局と日本郵船の北米航路の丹後丸との間で行われた。門田は、まだモールス信号を使って船舶航行情報や気象情報をやりとりしていた日本での無線通信の黎明期に活躍した無線技師だった。

正式な無線電信技師となった門田は、和歌山・潮岬の無線局や、日本郵船の富山丸、東洋汽船の日本丸、天洋丸で勤務した。平野丸の無線電信局長となったのは1917年10月、つまり撃沈される1年前のことだった。

横浜市神奈川青木町(現在の横浜市神奈川区)の留守宅には、妻のマサ(27)と長男の積(5)、次男の岬(2)、母親ノブ(50)の4人が住んでいた。6月16日に横浜を出港し、欧州に向けた往路の航海中に南アフリカ・ケープタウンから子供たちに8月2日に出したはがきが9月28日に届いたほか、10月7日にはまた子供たちに絵はがきが着いた。それだけ子供たちの様子を気に掛けていたのであろう。当時の新聞によると、平野丸遭難の知らせを聞いた母親は、息子の身を案じ、神奈川・小田原によく当たる易者がいると聞き、その安否を占ってもらいに出かけた。

いくつかの記録には、平野丸の無線電信技師が最後の瞬間までキーをたたきながら、沈み行く船と運命を共にしたとの記述がある。[74] 第二次大戦後、1952年に郵政省に吸収されるまで電波・放送行政を管轄していた電波監理委員会の『日本無線史』（1951年）には「無線電信局長門田豊、次席通信員田所清輝は沈着冷静、最後迄職責を盡し遂に本船と運命をともにした。」とある。[75]

平野丸の無線電信技師は門田と田所の二人だけで、撃沈当時、どちらか一方が当直勤務だったのか、あるいは二人で救援信号を送り続けたのかは分からない。さらに、実際に救援信号を受信した船舶の記録などの裏付けも得られなかったため、本当のことは不明だ。ただ、タイタニック号沈没事故で救援信号を送り続けた無線通信士を思い出させるエピソードだ。

当時の無線電信技師の団体「無線倶楽部」の季刊誌『無線』に収められている追悼文は、門田について「性格は温厚で沈着冷静、勇敢で、友情にも厚い」人物と評し、海外航路で知見を得た海外の無線通信事情について積極的に同誌に送っていたレポートを「極めて有益」だった

無　線

門田豊君田所清輝君を悼む

日本郵船株式会社欧洲航路船平野丸は昨年十月三日リバプール発帰航の途に、同月四日午前六時愛蘭の南方約七十浬の地点に於て独逸潜水艇の雷撃を受け、僅に七分間にして沈没せり。当時強風の為め救助作業困難を極め、総員船客九十七名、乗組員百四十三名中、折柄来航せる米国駆逐艦に救助せられたる者船客十一名、乗組員十九名に過ぎず。同船無線電信局長門田豊君及次席通信技術員田所清輝君は沈着冷静、最後迄職責を尽し、本邦無線界最初の犠牲者として本船と運命を共にせらる。殊に門田局長は船室に浸水する迄其職を去らず従容死に就きたるが、生存者は悉く其勇敢を嘆賞せりと称せらる。嗚呼両君最後の瞬間に於ける心事に想到せば、誰れか潸然涕泣たる者なからんや。

故門田豊君

門田君は福島県石城郡田沢村の産、明治三十五年電気通信技術の修習を経へ郵便電信局に奉職せし以来、斯業に従事すること十有七年、三十八年には電信隊附技手として出征し帰来広島郵便局に在勤す。四十二年通信官吏練習所電信科を、大正三年無線電信科を修業し、潮岬、日本丸、宮由丸、天洋丸各無線局に歴任し、大正六年十月平野丸無線電信局長を命ぜられ、其第二次航海に於て不幸険難の厄に罹れしものなり。君資性温厚、沈勇にして、平生友誼に厚く、夙に海外無線通信状況に就き綿密調査を遂げ、通信協会雑誌に発表せられたる如きは頗る有益なるものなり。其の将来を嘱望されしに今や胸臆を見るに至りしは誠に哀惜に堪へず。享年三十二。未亡人と老父母及二児を遺せり。

故田所清輝君

又田所君は茨城県水戸の人、明治二十一年同市に生れ、三十五年電気通信技術を修得して以来各地郵便局に奉職し、大正六年十月私設無線電信従事者資格検定規則に依り第三級の検定を受くるや、日本郵船会社に入社し、平野丸に乗務、通信有能社員として熱心職務に精励する所ありしが、途に門田君と共に其運命を同じふせるは洵に痛歎の至りなり。君は結婚後日に浅く郷里には若き未亡人の悲歎に暮れつゝありと聞く。嗚呼、天は正義人道に叛離して、暴戻なる独逸は今や屈服の止むなきに至りぬ。而かも兄等既に亡し。たゞ其功績は天壌と共に千古に伝はらむ。

1919年1月の季刊誌『無線に掲載された内田、田所の追悼文

とし、将来を嘱望されていた、と振り返っている。[76]

門田は民間の船舶の乗組員の一人ながら通信官吏で、普通の船員とは異なる公務員だった。マサの名前で提出された救恤申請書には、身分の違いから他の船員と補償の扱いが違うことに対する不満が記されている。

一方、田所については、親族を見つけることができた。田所の救恤申請書に本籍は茨城県水戸市、父親の職業が「神職」とあったことが手掛かりだった。水戸市で神職、田所という姓の一族であれば、それほど多くないに違いないと考え、調べたところ、1592年創建で、水戸藩主代々の崇敬社として知られる水戸市の「水戸八幡宮」の現在（17代目）の宮司、田所清敬さんにたどり着いた。

手紙を書き、問い合わせたところ、田所清輝の本籍は八幡宮の旧住所であり、清輝の父親が14代宮司の弟であることが分かった。ただ、清敬さんがわざわざ親戚に尋ねてくれたものの、

無線技士として平野丸に乗っていた田所清輝についての情報は、残念ながら得られなかった。神職の家に生まれながら、無線技士として欧州航路の船に乗るようになったのはどういう理由だったのか、興味は尽きない。

南アフリカの人々も

インターネット上にある英国やアイルランドなどの新聞のアーカイブで、平野丸を検索すると、短い記事がいくつも見つかった。すべての乗客を網羅することは到底できなかったが、日本人以外に英国人や南アフリカ人、ベルギー人や中立国のオランダ人などが乗客として乗っていたことが分かった。いくつかの乗客の名前、職業をたどると、それぞれの人生や1918年当時の世界がわずかながら見えてきた。

地中海でのドイツの潜水艦攻撃を避けて、平野丸はスエズ運河を通過するルートではなく、アフリカ大陸を大きく迂回する喜望峰ルートをとる予定だった。このため、英国の自治領である南アフリカ連邦出身者など、南アフリカに向かう乗客が多数含まれていた。

南アフリカ政府は10月8日、同国国籍の37人が犠牲となったとする声明を出している。[77] 約1カ月前の9月12日にも英国沖で、英南部プリマスから南アフリカに向かっていた英国の商船がUボートの攻撃を受け、南アフリカ国籍者を含む143人が死亡する惨事が起きたばかりだった。

南アフリカの人たちに衝撃を与えたのは、アルウィン・ヴィンセント、ローレンス・ウッドヘッドという国会議員二人が含まれていたことだ。いずれも実業界出身の議員で、その年の12月には、死亡した両議員の議席について補欠選挙が行われている。

南アフリカ・ケープタウン出身で英空軍のデービッド・マコーネル・カー大尉は、フランスの戦線で戦い、休暇で故郷に戻る途中に遭難した。大尉の遺体は、アングルから約25キロ北西に位置し、やはりアイルランド方向に突き出た半島の先にあるペンブロークシャー州セント・デービッズの海岸に打ち上げられた。28歳だった。

セント・デービッズの別の海岸では、ケープタウンで下船予定だったエンジニア、ジョセフ・ロバート・キングの遺体も発見されている。キングのポケットからは南アフリカのユニオン銀行の小切手が見つかった。南アフリカやアイルランドの新聞では、南アフリカの農業省の役人の名前も犠牲者として報じられている。

一方、先に証言を記した生存者の1等船客のベルギー人、ルイ・デュモンはベルギー領コンゴ（現在のコンゴ民主共和国）の鉱山の監督で、ロンドンに住所があり、ケープタウンに向かっていた。他にベルギー人が4、5人乗船していたと証言している。

デュモンが働く鉱山は、豊富なコバルトやウランなどの地下資源で知られるコンゴのカタンガにあった。ベルギー国王レオポルド2世は19世紀末、ザイール川流域を国王の私有地「コンゴ自由国」として支配、象牙や天然ゴムの事業を独占し、搾取と圧政が国際的な批判を浴びた。1908年にベルギー政府に支配権が委譲され、植民地となった。デュモンは、帝国主義時代の列強によるアフリカ支配を体現する存在でもあった。

さらに、現在の英領北アイルランド・バリミーナ出身者の主な第一次大戦戦没者をまとめたウェブサイトにも、チャールズ・マクガレル・ジョンソンという乗客の名前がある。北アイルランド沿岸部の出身で、1894年、18歳の時に南アフリカに渡った。1896年に現在のジンバブエで起きた、現地住民とセシル・ローズ率いる英国南アフリカ会社の戦闘の際には、英国南アフリカ会社が持つ部隊の騎兵として参加、第二次ボーア戦争（1899～1902年）では大尉として参戦した。ジョンソンは実は家畜や鳥類の研究者で、戦闘終了後はオレンジ川植民地（現在の南アフリカの一部）の農業部に勤務し、家禽類の病気や害虫駆除に関する本を執筆した。

英ケンブリッジ大クイーンズ校のウェブサイトには、大学関係者の戦没者名簿が載っており、1918年の項に中国人とみられるロ・ポ・チン（Lo Po Ching）とウォン・シン・ファン（Wong Shin Fan）という二人の名前がある。いずれも広東出身の24歳。乗船していた平野丸がアイルランドの南で撃沈され、溺死したとある。

当時、学期ごとに発行されていた学内誌「ザ・ダイアル」などによると、二人は、その頃英国の植民地だった香港の中等教育機関「セント・スティーブンス・カレッジ」出身の中国人留学生で、1915年にクイーンズ校に入学。自然科学の学位を取って卒業し、帰国途中だった。二人とも温和な性格でたくさんの友人をつくり、ケンブリッジで学生生活を送れることに深く感謝していたという。

クイーンズ校の教会礼拝堂には第一次大戦で死亡した学生の名前が刻まれている。二人は民間人の死者で、兵士として従軍したわけではなかったため、最近までその中に名前がなかったが、2019年11月の戦没者追悼記念日の礼拝で、新たに二人が付け加えられた。

5　刻まれた名の主を追う

苔に覆われた石碑

2023年4月、春の温かい日差しが降り注ぐ好天に恵まれた日曜日、私は東京から水戸市に隣接する茨城県・城里町に向けて、常磐道を車で走っていた。デービッド・ジェームズさんの尽力で新たに建立された慰霊碑に、たった一人だけ名前が刻まれた平野丸の1等給仕、大越四郎の親族に会うためだ。

平野丸の慰霊碑建立の話を事前取材してからちょうど5年。その際に「Shiro Okoshi」の名前を耳にして以来、大越四郎はどんな人だったのだろう、という思いが頭を離れなかった。ずっと追いかけてきた大越四郎の親族についに会うことができるのだと考えると、ハンドルを握りながら、胸が躍った。

大越四郎の親族を見つけ出すまでには、予想外に時間がかかってしまっていた。他の乗客や乗組員と同じように、遺族が提出した大越の救恤申請書には本籍の記載があり、これをきっかけに、たどり着くのは容易なのではないかと考えていた。だが、予想は大きく外れた。NTTの電話番号案内にかけ、その住所と大越という姓を告げたところ、「電話番号の届け出はありません」という答えが返ってきた。

それまでの調査で何度もこうした目に遭ってきた。他の乗船者についても、救恤申請書に記載された住所を基に、古い地図と現在の住宅地図を突き合わせたり、現在の住居表示を調べたりしてみたが、100年も昔のこと、転居してしまっていたり、当該の住所にはマンションが建っていて手掛かりが失われたりしているケースがほとんどだった。

遺族が見つかってもいずれも「昔のことなので」「母に聞いたことがあるが、それ以上は分からない」などと、戸惑いの返事が返ってくるばかりで、重要な証言にたどり着くことはできなかった。平野丸の乗船者の中でも、特別な存在で、何とか子孫を探し出したいと思っていた大越四郎については、どうしても諦めがつかなかった。

国会図書館で最新の住宅地図を調べると、その住所には「大越義和」という名前があった。少なくとも最近までそこに大越家の方が住んでいたことは間違いなかった。ひょんなことから、ネットで大越義和さんの古い電話番号が見つかった。昔は分厚い電話帳を使って、電話番号を簡単に調べることができたが、最近では個人情報と扱われ、公表していない人も多くなった。電話番号案内で分からなかったのは、義和さんのお宅もそうだったのだろう。何度か電話をかけてみたが、発信音が鳴るだけで応答がなく、やはりダメだろうかとの思いが募った。それが2022年秋のことだった。

年明けに「ダメ元で、もう一度」とかけてみた電話に対して、思いがけず女性の声が返ってきた。予想していなかった事態に、自分の声は動揺していたかもしれない。後から分かったことだが、義和さんのお宅では振り込め詐欺対策として、知らない番号が表示される時はほとんど電話に出ないことにしていたのだった。

「大越四郎」について尋ねる私の質問に、電話の声の主である義和さんの妻、さき子さんは「四郎という親族がいたのは知っているが、詳しいことを覚えている親戚はほとんどが亡くなっている」と困惑した様子で答えた。想定内の反応だった。

100年前の親族について突然尋ねられて即答できる人がいるはずもない。電話を切った後、平野丸について書いた新聞記事も同封し、改めてこれまでの経緯や取材の趣旨を説明する手紙を送った。「近くに住んでいる親族ならば知っているかもしれない」というさき子さんの言葉に期待を掛けるしかなかった。

さき子さんから、数日して電話があった。手紙作戦は奏功し、こちらの取材の意図を理解してくれたようだった。「良い知らせ」と「残念な知らせ」の二つがあった。良い知らせは、近くに住む別の親族の大越豊典さんが、四郎の甥に当たる人と分かったことだ。残念な方は、その豊典さんは糖尿病が悪化し、前年の9月から入院中で、新型コロナ感染症対策のため、家族でさえほとんど面会ができないということだった。甥ならば四郎のことを何か知っている、伝え聞いている可能性があった。どうしても豊典さんに会って話がしたかった。

さき子さんからの電話でもう一つ、興味深い事実が分かった。自宅近くにある大越家の墓の近くに、「大越四郎」の名前が刻まれた高さ1・3メートルほどの石の慰霊碑があることだった。もちろん四郎の遺体はアングルの聖マリア教会の墓地に埋葬されたが、遺族が建てた墓が故郷にもあることは十分考えられることだった。ただ、大きな慰霊碑があるという事実に興味をそそられた。是非見せてもらいたい、取材にうかがえないかとお願いをした。

聞くと、その慰霊碑には苔や汚れがびっしりついていて、大越四郎と刻まれた名前はかろうじて読めるものの、碑の裏面に書かれた文字はほとんど判別不能ということだった。大越家では、四郎が海で亡くなったので「慰霊碑を水で洗わないように」と言い伝えられていたからだった。「わざわざ取材に来るのならば」と、親族で2月、真冬の厳しい寒さの中、あえて禁を破って水を使って慰霊碑の掃除をし、汚れを落としてくれた。

屋外での取材になるので、少し温かくなってから来てはどうか、との提案を受け入れ、3月になってから改めて電話してみた。今度は「残念な知らせ」ではなく、「悪い知らせ」が待っていた。入院中だった四郎の甥、豊典さんが2月下旬に93歳で亡くなったのだった。大越四郎に最も近い人物と思われる豊典さんに、話を聴くことは二度とかなわなくなってしまった。もっと早く大越家の人々にたどり着いていれば、との思いが募った。豊典さんの四十九日の法要が済むまで、取材を控えることにした。

撃沈の船、渡り歩く

他の乗客や乗組員と同じように、大越の遺族が提出した救恤申請書を見つけることができたが、被害の見積額などが記載されているだけで、大越がどのような人物だったのかを知る手掛かりになるものではなかった。

だが、大越家に取材に行く前に調べたところ、2022年12月にリニューアルされて全文検索が可能となった国立国会図書館デジタルアーカイブで、大越の経歴についての別の資料を新たに発見した。大越の出身地、茨城県東茨城郡の郷土史料『東茨城郡誌』(1927年初版、1986年復刻版刊行)に、郷土出身者の一人として、大越四郎が紹介されていたのだった。[78]

船長や機関長のような責任ある立場ではなく、船内で給仕を務める24歳の若者だったにも関わらず、郷土史料が取り上げたのは、恐らく、遠い英国沖で第一次大戦末期にドイツの潜水艦の攻撃で命を落としたという特異な経験、人生が理由だったのだろう。

その『東茨城郡誌』によると、大越は1894年8月、茨城県東茨城郡小松村（現在の城里町）で、大越福章（ふくしょう）、はまの四男として生まれた。学校を終えた後、茨城県筑波郡谷井田（現在のつくばみらい市）で小学校の教員となったとある。まだ、十代だったと思われることから正式な教員ではなく、補助教員のような存在だったのかもしれない。

四郎はその後、水戸裁判所の給仕に転職した。当時の検事正[79]にかわいがられ、法律を学んだが、結局法律の道には進まず、進路を変えて軍艦筑波の給仕になった。日本郵船に入社し、半年間の講習を受けて、給仕として客船に乗るようになった。それがちょうど、第一次大戦開戦のころだった。

『東茨城郡誌』には、大越が給仕として勤務した日本郵船の船として、欧州航路の諏訪丸、宮崎丸、常陸丸、そして平野丸の名前が登場する。4隻のうち、諏訪丸を除く3隻はいずれも第一次大戦中にドイツの潜水艦や仮装巡洋艦の攻撃を受けて撃沈されている。つまり、大越は大戦中に、こうした船を給仕として渡り歩いていたことになる。偶然だろうが、3隻のうち2隻については撃沈される前に船を移っていた。極めて運がよかったと考えざるを得ない。

しかし、大越は最後に勤務した平野丸で、多くの乗船者と同じように命を落とした。大越の遺体が着いたのはアングルの海岸で、日本郵船の社員が確認して在英国の日本総領事館に通報した。さらに、日本郵船のロンドン支店を通じて、大越の死亡確認は生地の小松村役場に知らされた。大越の遺体を確認した日本郵船社員は、恐らく、平野丸被災の報を受けて、アングル周辺の海岸に足を運んだと思われる。

『東茨城郡誌』には、大越の遺髪が郷里に送られたこと、横浜・鶴見の總持寺に、大越を含む殉難者の慰霊碑が建てられたことも紹介されている。加えて、発見時にはほとんど裸だった四郎の遺体に、ひもに結ばれた金製の名札が付いていたために身元が判明したとも記されている。聖マリア教会の埋葬記録にある他の犠牲者は身元不明とされているのに、なぜ大越だけの名前が記録されていたのか、その謎がこれで解けた。

100年後に新たに建てられた慰霊碑に一人だけ名前が刻まれたことも考え合わせると、大越四郎という人は、徹頭徹尾、信じられないほどの強運の持ち主だったと言えそうだ。

同じ写真が結ぶ線

東京から車で約2時間走り、亡くなった大越豊典さんの自宅に着くと、豊典さんの息子、章さんと奥さんの由美さん、義和さん夫妻に加えて、もう一人、大事な人が待っていてくれた。四郎の姪に当たる高野光恵さんだった。

豊典さんに会う機会は永遠に失われてしまったが、四郎の姪である高野さんが健在であると事前に聞かされ、目の前が一気に開けた気がした。豊典さんの葬儀の際、私が平野丸や大越四郎について調べているという話を由美さんが親族にしてくれ、水戸市に住む高野さんがそれを知って、私の取材に合わせて駆け付けてくれたのだった。

四郎の父、大越福章は地元で警察官をしていたが、二度結婚していた。最初の妻がお産で死亡したため、その妹を後妻として迎え入れたのだった。大越四郎は後妻の子で、豊典さんや高野さんは後妻の系統、最初に私が電話をした大越さき子さんは福章の先妻の系統で、義和さんは婿養子だと知らされた。

大越家を訪ねるに当たり、私はジェームズさんに四郎の子孫が見つかったことをメールで報告していた、ジェームズさんは私のささやかな取材の成果に「すばらしい！」と喜んだ。できることならば大越家の皆さんにメッセージをもらえないだろうかとの私の願いに応え、訪問の3日前にメールを送ってくれた。その内容を英語から日本語に直して持参し、集まった皆さんの前で披露した。そこにはこう書かれていた。

「私は小さい頃、父からアングルに埋葬された日本人船員たちのことを聞かされ、退職後、この話を追いかけ、調べてみようと思い立ちました。アングルの教会で牧師に会うと、『シロー・オコシ』という名前が書かれた埋葬記録を見せられ、彼が乗っていた船が『平野丸』という名前であることを教えてくれました。その情報から調査は始まりました。

墓地には『シロー・オコシ』やそのほかの人たちの慰霊碑が立っていましたが、すでになくなっていたので、彼らについての記憶が忘れられないように慰霊碑を建てるのはどうだろうと考えました。

しかし、その慰霊碑が、これほどまでに多くの人を巻き込み、大きな影響を与えるとは思ってもみませんでした。（日本人乗客の孫である）中村さんが、祖父の山本信太郎さんを見つけたことを喜び、私に対して感謝の気持ちを表してくれたことは、今でも忘れられません。

シローさんが忘れられていないこと、そしてこれからも忘れられないこと、彼の名前がすべての人の目に触れるようになったことをうれしく思っています。」（一部省略）

大越家の皆さんの前で、ジェームズさんが始めたアングルの慰霊碑建立の計画、日本で平野丸の乗船者の子孫を捜し回っている私の取材のそれまでの成果を一気に話した。気持ちが高揚していたから早口になっていたかもしれない。

大越家の皆さんは深い感謝の言葉を口にした。義和さんは「100年前に四郎さんの遺体を引き上げてきちんと埋葬してくれた英国の皆さんに対して、ありがたいという気持ちで一杯です」と話した。由美さんも「英国の人たちが、自分たちで募金までして慰霊碑を建てようとしてくれたと聞いて本当に驚いた」と打ち明けた。大越四郎について勝手に調べ上げ、その話を持ってお邪魔した私にまでお礼の言葉を掛けてくれた。

あらかじめ由美さんに「もし可能であれば四郎さんの写真や遺品は残っていないか、調べてくれませんか」とお願いしたところ、家の中をわざわざ探し、思いも掛けないものを見つけてくださった。

一つは大越四郎の写真だった。お願いをしてみたものの、本当のことを言えば、100年前の写真が残されていることはあまり期待していなかった。希望があるとすれば、大越家のお宅が田舎の旧家だったことだ。都会の新興住宅地であれば遺品が残っている確率は高くないが、もしかしたらという気持ちが頭の片隅にあった。

写真の大越四郎は蝶ネクタイに背広姿で若く、精悍だった。扉付きの台紙仕上げのポートレートで、台紙には「神田一ツ橋　馬場」という写真館のロゴがあった。いつ撮影されたのかは分からないが、四郎が長く外国航路の船に乗っていたことを考えると、船に乗る前、もしくは日

大越四郎のポートレート

古い墓標の写真を手にする大越四郎の姪・高野光恵さん

本に戻った機会などに撮ったのかもしれなかった。想像の中にしかいなかった大越四郎が目の前に現れた。

　もう一つ、由美さんが探してくれた別の写真を見るなり、私は驚き、ひっくり返りそうになった。それはまさしく100年前の木の墓標の写真だった。アングルで私が見せられたと全く同じもの、中村良子さんが祖父の思い出として大事に保管していた、その写真だった。台紙には「大正七年十月四日於愛蘭土沖独逸潜航艇ノ為メ撃沈セラレタル平野丸殉難者ノ為在英國ペンブローク、アングル教會庭ニ建設セラレタル墓標ノ寫眞」と書かれていた。3枚の同じ写真を結ぶ線が一つにつながった。

　なぜこの写真がここにあるのか。疑問がぐるぐる頭の中を駆け巡った。『東茨城郡誌』にはっきり書かれていなかったが、アングルの教会の敷地に四郎が埋葬され、墓標が建てられたことは実家にも伝わっていたに違いなかった。

中村さんも同じ写真を持っていたことを考えると、当時、誰かの手により同じ写真が日本にいる犠牲者の遺族に配られたのかもしれなかった。平野丸が撃沈した現場ははるか沖合で、訪れることも海岸からながめることもかなわない。行方不明となり、遺体も確認されなかったほとんどの日本人乗客や乗組員の親族にとって、大越四郎や他の9人がアングルの地に丁寧に葬られたことを示す写真は、十分に心の慰めになったに違いない。

よみがえった記憶

四郎の兄、豊(ゆたか)さんの娘である高野さんは82歳、水戸市で一人暮らしをしていて、お元気で車の運転もされていた。高野さんは四郎が亡くなってから22年後に生まれているので、直接四郎を知るはずはなかった。それでも、自身の祖母で四郎の母、はまから四郎のことを聞かされていた。

高野さんは8人きょうだいで一人だけ女性だったため、祖母にかわいがられて育った。縁側で縫い物をしていた祖母が「夜空の星でもいいから四郎が出てこないかなあ」としみじみと、

大越四郎の慰霊碑と大越家の人々

口にしていたことを覚えている。

平野丸と運命を共にした時、四郎は24歳だった。外国航路の船に乗るようになってからは母親に顔を見せる機会はそれほどなかっただろう。高野さんは「子供のことを思わない親はいない。若くして亡くなった四郎さんのことを祖母はいつも口にしていた」と、思い出を話してくれた。高野さんは、祖母が「テンプロップ」という地名を話していたことを覚えていた。四郎が埋葬されたアングルがある「ペンブローク」という地方の名前に他ならなかった。

由美さんが探し出してくれた中には、四郎が航海中に南アフリカで手に入れた珍しい品もあった。巨大なダチョウの卵と、大きなクジラの黒いひげだった。ダチョウの卵が入った木の箱には「大正五年十二月、日本郵船會社司厨尉部　諏訪丸大越四郎」などと書かれ、クジラのひげには「出品者　大越豊」という札が付いていて、四郎の兄、豊さんが何かの催事に外国の珍品を他の人たちにも見せようと出品したようだった。四郎には、滅多に帰れない故郷の両親や兄弟たちに、遠い異国の品を見せてあげようとの気持ちがあったのだろう。

一通り話を聴いて、昼食に心尽くしの由美さんの手料理をいただいた後、大越四郎の慰霊碑を皆で訪ねた。歩いて数分ほどの畑に隣接した土地に、大越家の墓があり、そこに大きな慰霊碑が建っていた。

表側には「世界戦役殉難者　大越四郎」との文字が刻まれ、裏には漢文で遭難の経緯などが書かれていた。最後に記された名前を調べると、地元の著名な作家、郷土史家だった。掃除のおかげでずいぶんきれいになっていたが、あまり削ると文字まで消えてしまうかもしれないと、一部汚れを残したため、文字がはっきり見えない部分もあった。ただ、建立されたのは平野丸の事件から9年後である「昭和二年　四月吉日」とあった。なぜ、そんなに経過してから大きな慰霊碑を建てたのかは結局、分からないままだった。

一人一人、花を手向け、線香をたいて手を合わせた。親族の皆さんに加わって、私もお参りをさせてもらった。約1万キロの距離を隔てて、英国のアングルと茨城に、100年前に亡くなった同じ人物の慰霊碑があり、時間と空間を飛び越えて、その二つに手を合わせる機会を得たのは不思議な気持ちだった。

由美さんは「墓参りに来る時に、すぐ隣に大きな古い碑があることは分かっていたけれど、あまりに汚れていたため、それが誰の慰霊碑なのか、これまで気に留めることもなかった」と打ち明けてくれた。長い年月の経過と、びっしりと付いた苔のため、親族の間でさえ、大越四郎の名前は忘れられかけていたのだった。ジェームズさんやアングルの人々の行動は、その名前と記憶を再びよみがえらせた。

高野さんは「親族でさえ分からなくなっていたのに、英国から四郎さんのことを言ってきてくれるなんて、四郎さんはなんて幸せな人」としみじみと語った。

皆で記念写真を撮った後、高野さんが慰霊碑に向かって語りかけた。

「四郎さん、よかったね。もう忘れないようにするからね」

6 第一次大戦とUボート

無制限潜水艦作戦

平野丸はなぜ撃沈されたのか。当時の状況を振り返ってみたい。英国海軍は開戦に伴い、北海でドイツの通商路を遮断し、ドイツ向け商船を厳しく臨検、経済封鎖を実施した。これに対抗してドイツは、英国周辺を中心とした海域にUボートを展開させ、海上交通を妨害する「通商破壊作戦」を実施した。

敵国の非武装の商船を見つけ次第、攻撃を加え、拿捕し、あるいは撃沈する作戦だった。ドイツ軍は大型で高速の商船に武装を施し、仮装巡洋艦として戦闘任務を負わせた。通商破壊作戦により、英国では輸入が滞り、食料不足が発生する事態に発展し、小麦粉不足のため政府が「パ

パンの消費を控えるよう訴える英国のポスター（英帝国戦争博物館蔵）

ンの消費を控えよう」という運動を展開した。

通商破壊作戦が地中海や北海などでかなり成果を挙げたことから、ドイツ海軍はUボートの開発を進め、航続距離が長く、高い戦闘能力も備えた潜水艦を次々と就役させた。第一次大戦開戦から間もない1914年9月22日には、U9が北海沖で1日のうちに英国の装甲巡洋艦3隻を撃沈し、各国の海軍に衝撃を与えた。

ドイツ海軍は当初、Uボートに対して、海上で敵国の船舶に警告をした上で攻撃するよう命じ、中立国の船舶を攻撃することを禁止していた。しかし、英国海軍が商船に偽装した重武装の「Qシップ」を投入するようになると、1915年2月18日から英国やアイルランド周辺を戦闘水域として宣言して、Uボートにより無警告で攻撃する「無制限潜水艦作戦」を開始した。

こうした中で5月7日、英国のルシタニア号（3万1550トン）がUボートに撃沈される事件が発生した。ニューヨークからリバプールに向けて単独で航行していたルシタニア号はアイルランド南部沖で、待ち構えていたU20の雷撃を受けて18分で沈没、乗客1198人が死亡した。3年前に沈没したタイタニック号以来の大惨事となった。

19世紀末から20世紀初頭は大西洋航路をいかに短時間で結ぶかを争うスピード競争の時代だった。欧州と北米大陸を最速で航行した客船には、その栄誉をたたえて、「ブルーリボン」と呼ばれる賞が与えられた。1907年10月、最速スピードの記録を打ち立て、ブルーリボン賞をドイツから奪還したのが、前月就航したばかりの英海運会社キュナード・ラインのルシタニア号だった。ルシタニア号はそのブリーリボン賞よりも、第一次大戦中のUボートによる最も有名な客船被害として知られることになる。

U20による魚雷攻撃に続いて、さらに大きな第2の爆発が起きたことを理由に、ドイツはルシタニア号が秘密裏に武器、弾薬を積んでいたと主張した。英政府はこれを強く否定したが、第2の爆発の原因について、英政府が隠蔽工作をしているなどとも噂され、長年論争が続いた。現在では、海水が高温のボイラーに触れたことで起きた水蒸気爆発説が有力とされている。

死者のうち128人が米国人で、無警告での攻撃だったことが大きく報じられると、米世論は強いショックを受け、怒りが沸騰した。それまで第一次大戦から距離を置き、孤立主義を貫いてきたウィルソン大統領は攻撃を激しく非難、ドイツは潜水艦作戦を一時停止せざるを得なくなった。

1915年8月にはアイルランド南方沖で、英国の客船アラビック（1万5801トン）が撃沈され、再び米国人を含む44人が犠牲になると、米国での反ドイツ感情はさらに高まった。ド

"All the News That's Fit to Print."

The New York Times.

EXTRA 5:30 A. M.

VOL. LXIV...NO. 20,923. NEW YORK, SATURDAY, MAY 8, 1915.—TWENTY-FOUR PAGES. ONE CENT

LUSITANIA SUNK BY A SUBMARINE, PROBABLY 1,260 DEAD; TWICE TORPEDOED OFF IRISH COAST; SINKS IN 15 MINUTES; CAPT. TURNER SAVED, FROHMAN AND VANDERBILT MISSING; WASHINGTON BELIEVES THAT A GRAVE CRISIS IS AT HAND

SHOCKS THE PRESIDENT

Washington Deeply Stirred by the Loss of American Lives.

BULLETINS AT WHITE HOUSE

Wilson Reads Them Closely, but Is Silent on the Nation's Course.

HINTS OF CONGRESS CALL

Loss of Lusitania Recalls Firm Tone of Our First Warning to Germany.

CAPITAL FULL OF RUMORS

SOME DEAD TAKEN ASHORE

Several Hundred Survivors at Queenstown and Kinsale.

STEWARD TELLS OF DISASTER

One Torpedo Crashes Into the Doomed Liner's Bow, Another Into the Engine Room.

SHIP LISTS OVER TO PORT

ATTACKED IN BROAD DAY

The Lost Cunard Steamship Lusitania

X Where the First Torpedo Struck. XX Where the Second Torpedo Struck.

Only 650 Were Saved, Few Cabin Passengers

Canard Office Here Besieged for News; Fate of 1,918 on Lusitania Long in Doubt

Nothing Heard from the Well-Known Passengers on Board—Story of Disaster Long Unconfirmed While Anxious Crowds Seek Details.

List of Saved Includes Capt. Turner; Vanderbilt and Frohman Reported Lost

Saw the Submarine 100 Yards Off and Watched Torpedo as It Struck Ship

Ernest Cowper, a Toronto Newspaper Man, Describes Attack, Seen from Ship's Rail—Poison Gas Used in Torpedoes, Say Other Passengers.

Poison Fumes from Torpedoes.

Loss of the Lusitania Fills London With Horror and Utter Amazement

ルシタニア号撃沈を伝えるニューヨーク・タイムズ1915年5月8日付紙面

イツ政府や軍の内部では無制限潜水艦作戦の是非について、議論が分かれていたが、結局、9月に無警告攻撃の一時停止に追い込まれる。

ドイツ海軍は1916年5~6月、英海軍の主力艦隊との大決戦、ユトランド沖海戦で勝利宣言をしたが、その後も英国が海上封鎖を続ける状況に変化はなかった。戦況が有利に運ばないことへのいらだちから、ドイツ国内では無制限潜水艦作戦の再開を求める世論が高まった。

1917年1月9日、ヴィルヘルム2世も参加して開かれた政府、軍首脳の会議で、作戦の再開が決定された。英国の経済を麻痺させて戦線から離脱させることを目指し、全ての連合軍、中立国の船舶を無警告で撃沈するという作戦だった。英国に軍事物資を支援していた米国が参戦するリスクも承知の上で、米国が参戦しても十分な兵力が欧州大陸に輸送される前に、英国を降伏に追い込むことができるという楽観論、そして米国の軍事力、生産力の過小評価が背景にあった。

ドイツは1月31日、英国海峡と北海の西、英仏海峡で2月1日以降、ドイツ海軍艦船が遭遇する全ての船舶を、潜水艦による軍事力で妨害する無制限潜水艦作戦を米国政府に通告した。果たせるかな、中立を維持していた米国は4月6日にドイツに対して宣戦布告した。そして、国際社会を敵に回してでも、なりふり構わずに民間商船も標的にする無制限潜水艦作戦の餌食になった一隻が、平野丸だった。

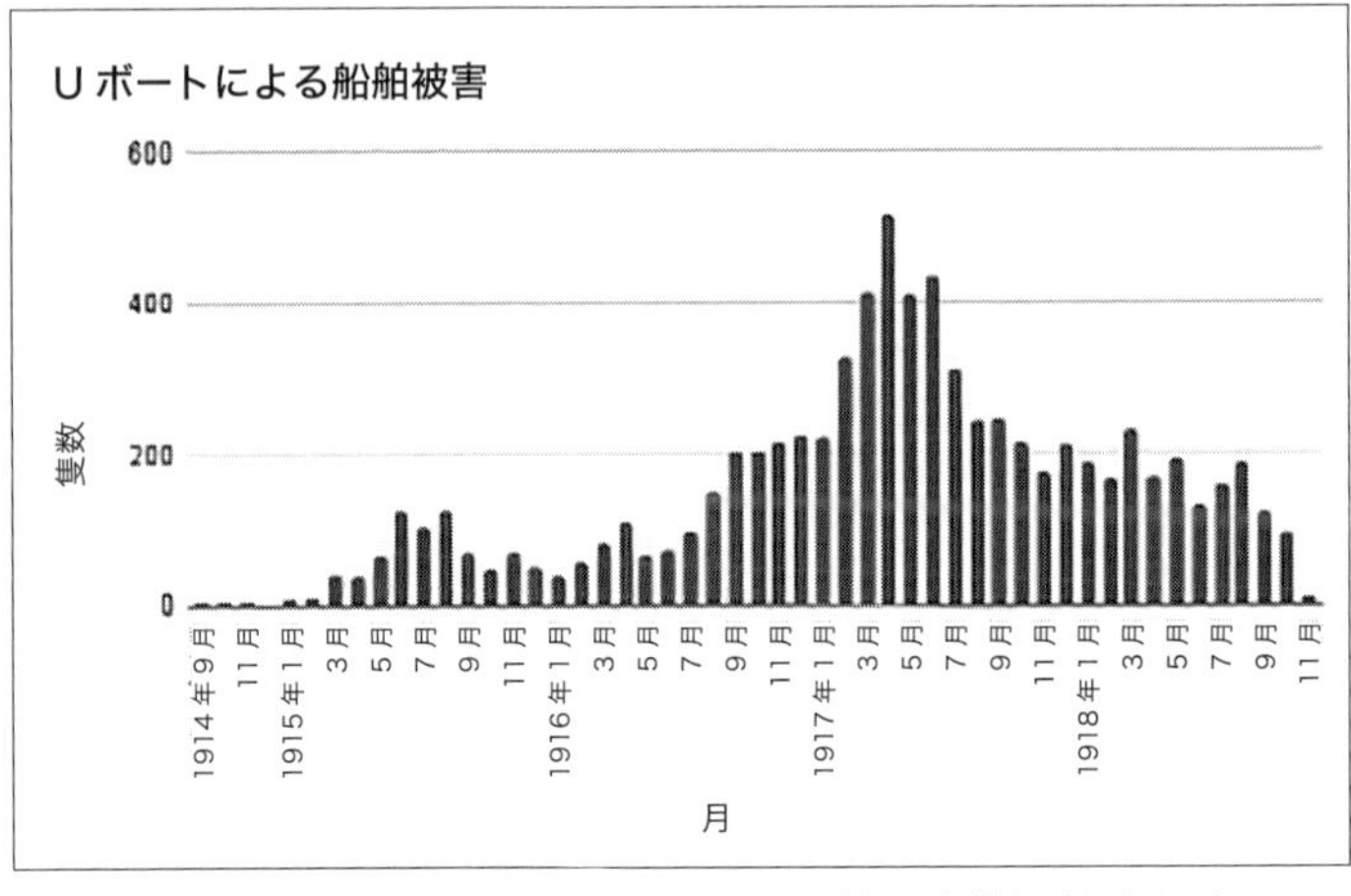

Uボートによる船舶の被害。商船や軍艦の撃沈・破損・拿捕などを含む（U-Boat.net より筆者が作成）

第一次大戦におけるドイツの敗因についてはさまざまな分析があるが、無制限潜水艦作戦が米国の参戦を促し、ドイツの敗北を導く要因となったことは間違いない。宣戦布告後、米国からの兵員輸送船で兵士が次々に西部戦線に到着した。ドイツは国民に、Uボートによる攻撃で米軍の兵員輸送を阻止すると約束したが、ほとんど実現しなかった。[80]

衛星やレーダーによる探査や監視ができなかった当時は、海面に姿を現す潜望鏡などを目視で発見するしかなく、Uボートが水中潜航時に攻撃を受けることはまれだった。しかし、大戦末期になると、対潜水艦作戦のため、水中聴音機の開発や水中音波探知機などが開発された。

加えて、通商破壊を狙ったドイツ海軍の潜水艦や仮装巡洋艦の攻撃に対抗するため、連合国は自衛策として護送船団方式を編み出した。単独での航行を回避し、軍艦などによる護衛を付けることで、被害は急減した。航空機や通信システムが発達する前の時代には、潜水艦攻撃に対して有効な作戦だった。米国が参戦し、船団護衛任務のために駆逐艦を派遣すると、護送能力が拡大した。平野丸が加わっていた船団「OE23」で護衛任務についていたのも米海軍の駆逐艦スタレットだった。

大戦末期には航空戦力が飛躍的に伸び、上空からの偵察で護送船団を支援する態勢もできた。Uボートにより撃沈されたり、破損したり、拿捕されたりした船舶の月間隻数は1917年4月の514隻をピークに次第に減少していった。Uボート側は航空機による捕捉や攻撃を避けるため、大戦末期には夜間の暗闇に紛れて商船を攻撃する戦術を採用した。[81] 日の出前の暗がりで攻撃を受けた平野丸は、その典型例だった。

新造艦の新米艦長

平野丸を撃沈させたドイツのUボートはUB91という名前だった。ドイツ帝国海軍の大洋艦隊、第2潜水隊群所属で、1918年3月にドイツの主要造船会社、AGフルカン[82]のハンブルク造船所で建造された。翌4月に就役しており、平野丸を撃沈したわずか半年前にデビューしたばかりの新造艦だった。

第一次大戦開戦後、ドイツ陸軍がベルギー北部への侵攻作戦を展開し、沿岸防衛の必要が生じたことを受けて沿岸哨戒用のＵＢⅠ型やⅡ型が開発されたが、ＵＢ91は、これらを改良したＵＢⅢ型と呼ばれるタイプだった。小型のＵＢⅠ型、Ⅱ型は沿岸警備隊で機雷敷設任務に従事したが、ＵＢⅢ型は外洋行動能力や甲板砲による攻撃能力、水中での機動性などを備え、大西洋での多くの通商破壊作戦に従事した。

全長約55・5メートル、全幅5・8メートル、喫水3・7メートル。排水量は浮上時510トン、潜航時640トン。機関はエンジン2基（820キロワット、588キロワット）、速力は浮上時が13ノット（時速約24キロ）、潜航時7・4ノット（同約13・7キロ）。航続距離は浮上時6ノット（同11キロ）で7120海里（1万3190キロ）、潜航時4ノット（時速7・4キロ）で55海里（102キロ）。乗組員は34人。兵装は50センチ魚雷発射管が艦首4基、艦尾1基の計5基。魚雷10本、105ミリ甲板砲1基を備えていた。

第一次大戦中、ドイツ帝国海軍はオーストリア・ハンガリー帝国と合わせて375隻の潜水艦により、軍艦を除いて商船だけで合計7672隻を沈めている。[83] このうち最も多数の商船を撃沈したのはU35の226隻。U35が1915年から休戦まで活動したのと比べ、ＵＢ91は活動期間がわずか半年しかなく、作戦に従事したのも2回の航海だけだったので、沈めたのは計4隻とわずかだった。いずれも2回目の航海で、そのうち総トン数で最大なのが平野丸だった。

艦長はヴォルフ・ハンス・ヘルトヴィッヒ大尉。[84] 1885年生まれのヘルトヴィッヒは1904年にドイツ帝国海軍に入隊、戦艦ヘッセンに少尉として、戦艦ハノーファーや防護巡洋艦ヴィクトリア・ルイーゼに中尉として乗艦した。第一次大戦開戦後、戦艦ヴェストファーレンでの任務期間中に大尉に昇格、ユトランド沖海戦の際も同艦に乗船していた。平野丸を撃沈した時は33歳。潜水艦の訓練過程を終えたばかりで、新造艦の任務に就いた新米艦長だった。

ヘルトヴィッヒが新しい潜水艦で戦果を何とか挙げようと、野心にあふれていたのではないか、と想像をたくましくすることは可能だ。それを裏付ける資料はないが、明らかなのは、UB91艦長としての7カ月間に戦況がドイツにとって悪化の一途をたどっていたことだ。平野丸を沈めてから約1カ月後に休戦協定が結ばれるとは、その時点では知る由もない。新米艦長は戦意を失わず、高い士気を持って戦いに臨んでいた。そういう艦長が指揮するUボートに遭遇してしまったことも、平野丸の不運と言えるかもしれない。

1918年11月11日に結ばれた休戦協定は、ドイツ海軍を無力化するため、英国など連合国の大きな脅威となっていたUボートについて、全艦の14日以内の投降を定めていた。UB91はこれに基づき、11月21日、他のUボートと共に英国南東部ハリッジに入港して投降、接収された。Uボートに英海軍の兵士たちが乗り込んで、乗組員らの確認の後、艦の引き渡しが行われた。反抗的な態度を取ったドイツ兵はほとんどおらず、粛々と混乱なく手続きは行われたと伝えられている。

ハリッジに集められたUボートは168隻に上った。英国を恐怖に陥れたUボートがこれだけの数、ずらりと並んで停泊している姿はさぞかし壮観だったに違いない。「Uボート通り」とも呼ばれたハリッジのフェリクストウ港の光景は、勝者がどちらなのか、制海権を持つのはどの国かを明確に示していた。[85]

英政府は、接収したUボートを勝利の証しとして英国各地を回航させ、一般市民に公開した。UB91もウェールズ南部のカーディフ、ニューポートなどの港を経て、ペンブロークドックの港に係留された。最終的に1921年、同じウェールズ南部のブリトンフェリーの造船所で解体された。

当時の英国国王ジョージ5世は、第一次大戦中、オスマン帝国とのダーダネルス海峡をめぐる「ガリポリの戦い」で戦功のあった海軍兵士ウィリアム・チャールズ・ウィリアムズを称え、生まれ育ったウェールズ南東部の町チェプストウにUB91の甲板砲を寄贈した。砲は今も、チェプストウの広場に置かれている。

一方、艦長のヘルトヴィッヒは乗組員らと共に輸送船でドイツに戻り、1920年1月に

平野丸を撃沈したUB91（ウェールズ南部ブリトンフェリーで、People's Collection Wales のサイトより）

退役した。ラトビア人の女性と出会い、1918年にロシア帝国から独立したばかりのラトビアの首都リガに移り、一男一女をもうけた。ヘルトヴィッヒはリガで小さな会社を興したが、民族意識が高まっていたラトビアで、ドイツ人の会社が成功することは難しかったようだ。ヘルトヴィッヒはその後、ドイツに戻り、ナチス下で海軍に入隊した。

1937年8月、ヘルトヴィッヒは装備担当の少佐として軍務を再開した。すでに52歳で、潜水艦の任務には年を取りすぎていた。ドイツに移ったころにはラトビア人の妻との結婚生活はうまくいかなくなっていた。第二次大戦開戦後の1942年8月、当時中佐だった

UB91の甲板砲（英国ウェールズ南東部チェプストウ）

ヘルトヴィッヒはドイツ人の新しい妻を迎えた。1944年1月には娘が生まれた。この年の3月、ヘルトヴィッヒはナチス支配下のデンマークで海軍省勤務を命じられる。ドイツ軍は1945年5月、連合軍に降伏してデンマークからも撤退、大佐となっていたヘルトヴィッヒも英国軍の捕虜となり、ベルギーの戦争捕虜収容所に収容された。釈放されたのは翌年の年末のことだった。

終戦後、妻や娘の住むドイツ・テューリンゲン州のハイニンゲンはソ連の支配下に置かれ、その後、東ドイツの領土となった。ヘルトヴィッヒはハイニンゲンに戻ったが、ナチス政権下で海軍大佐だったという経歴のために、貧しい暮らしを強いられた。1955年、ヘルトヴィッヒは当局の許可を得て、西ドイツに渡航した。そこに住む前妻との息子やその家族と会うためだった。息子と会うのは21年ぶりのことで、息子の妻とは初めて会うことになった。１９５８年12月9日、ヘルトヴィッヒはハイニンゲンで癌のため、73歳で亡くなった。

平野丸を沈めた潜水艦の責任者について、知ることができたのはこのぐらいだ。二つの大戦を海軍軍人として経験したヘルトヴィッヒは、自身が沈めた平野丸の乗客や乗組員がどのような人生を歩み、どんな夢を抱き、どんな家族がいたのか、知る由もなかっただろう。そして、犠牲者たちも、現代の私たちも、ヘルトヴィッヒは幸せな人生を送ったのか、そうではなかったのか、わずかな情報を基に、想像を働かせるしかないのだ。

第一次大戦の敗戦で投降したドイツ海軍の潜水艦の一部は、連合国に戦利品として分配された。米国は、整備不良で損傷しているものもある潜水艦を、大西洋を横断して回航することはできないとして、引き取りを辞退した。日本は、後述する第二特務艦隊が潜水艦7隻を休戦の翌年6月に横須賀に回航することに成功している。この中には、ＵＢ91と同じＵＢⅢ型のＵＢ１２５とＵＢ１４３が含まれていた。7隻は日本各地を回って凱旋展示が行われたほか、その後の日本海軍による潜水艦開発の研究に活用された。

第一次大戦後に戦利品として横須賀に回航されたドイツの潜水艦の絵はがき

米沿岸警備艇も犠牲に

UB91が2回の航海で沈めた4隻のうち、平野丸以外の3隻は、英国の貨物汽船ヘブバーンとボルダーズビー、米沿岸警備隊の巡視船タンパだった。1917年4月に参戦した米国は、ドイツ海軍の無制限潜水艦作戦による被害を防ぐため、沿岸警備隊の巡視船を、地中海の出入り口に位置するジブラルタルと英国の間の大西洋に派遣していた。船団を組んだ商船などの護衛に当たっていたうちの一隻がタンパだった。

平野丸が撃沈される1週間ほど前、1918年9月26日の夕方のことだった。タンパはウェールズ沖約50キロの海上を、船団「HG107」を護衛してジブラルタルから英国を目指していた。タ

平野丸と同じ UB91 に撃沈された米沿岸警備隊の巡視船タンパ（米海軍歴史遺産司令部蔵）

ンパが燃料の石炭の補給のため、船団を離れて単独でミルフォードヘブンに近づいたのが運命の分かれ目だった。

タンパを捉えたUB91は魚雷を発射、タンパの船体に命中し、大きな黒煙が上がった。2分後、2回目の爆発が起き、海面から水しぶきが高く上がった。UB91は海面に浮上したが、船体の残骸も乗組員の姿も見つけることはできなかった。英国人水兵らを含む乗組員131人の命が失われ、しばらくして、2人の遺体がペンブロークの南、ブリストル海峡に面したフレッシュウォーター・イースト海岸に漂着した。無制限潜水艦作戦を敢行したUB91による攻撃で犠牲になり、故郷から遠く離れた大西洋の海に沈んだのは、平野丸の日本人だけではなかった。

米沿岸警備隊にとって、事件は第一次大戦で被った最大の被害だった。特に、1915年1月に税関監視艇局と救命局が統合されて米沿岸警備隊が発足したばかりだっただけに大きな打撃となった。事件から100年となる2018年9月26日、首都ワシントンの沿岸警備隊本部で慰霊式が行われた。カール・シュルツ長官は「われわれはタンパの乗組員の貢献や献身ぶりを決して忘れない」との声明を出した。[86]

7 第一次世界大戦と日本

戦争景気と成金

日本は第一次大戦に参戦しながらも直接戦場とならなかった。第一次大戦は日本国内では「欧州戦争」「欧州戦乱」などと呼ばれ、国民の多くにとっては対岸の火事どころか、遠く離れた欧州で起きた、ほとんど他人事の戦争だった。だが、実際には日本は連合国側について派兵している。

国民の当事者意識は薄かったが、第一次大戦は経済や国民生活にさまざまな影響を及ぼした。欧州での戦争により世界規模で軍事物資の需要が高まり、近代化を進めていた日本にとっては、重工業を発展させ、輸出を拡大させる大きな後押しとなった。欧州諸国が戦争で手いっぱいなのに乗じて中国市場をほぼ独占し、世界中に日本の商品を売り込んだ。

1914年から5年間で、輸出と輸入を合わせた日本の貿易額は4倍近くに増加し、日本を世界的な工業国に押し上げた。戦前には約11億円の債務国だった日本が、欧州からの輸出が減少した中国やインド、東南アジアなどとの貿易拡大により、27億円以上の債権国の立場となったのもこの時代だった。

特に、連合国が海上封鎖を行ったため、世界3位の保有量を誇っていたドイツの船舶が利用できなくなり、軍事物資輸送の需要の高まりから世界的に船舶不足に陥った。日本の造船所にも発注が殺到した。日本国内はバブルとも言える戦争景気に沸き、財閥を中心とする一部の資本家が潤い、船成金、鉄成金、糸成金など「成金」と言われる人たちが登場した。

一方で、物価の高騰、激しいインフレは民衆の生活を圧迫、社会に不満が拡大した。農村から都市部への人口流入が進んだことで米の生産量が伸び悩んだことを背景に、シベリア出兵による戦争特需を見越した米の投機や売り惜しみが相次いだ。平野丸の事件が起きた1918年には、富山県を発端に、米価の暴騰を原因とする「米騒動」が発生、日本各地に暴動が広がった。

この年の7月、女性たちが米問屋に押しかけ、他地域への米の移送停止を求めた富山の米騒動は、日本で初めての女性による市民運動との評価もある。騒動は京都や大阪、東京など全国に拡大するにつれて、商店や自動車を破壊したり、商店などに放火したりする暴動の様相を呈した。警官隊が出動、軍隊も動員され、衝突により死者が出る事態となった。一連の騒動には全国で数百万人が参加し、2万5000人以上が検挙された。

十分なインフレ抑制策をとらず、民衆の不満を武力で抑え込もうとした寺内正毅首相に対して、辞任を求める世論が高まり、9月21日、寺内内閣は総辞職、初の本格的な政党内閣として原敬内閣が29日に発足した。富山の米騒動からわずか2カ月、平野丸事件の5日前のことだ。つまり、平野丸が撃沈されたのは、日本の政治史の上でも薩長出身者による藩閥政治から政党政治への大きな転換期だった。

1918年は、松下幸之助が大阪でパナソニックの前身である「松下電気器具製作所」を創業した年でもある。日本ではその頃、工場の動力が蒸気機関から電気に変わろうとしていた。街には電車が走り、農村にも電気が一気に普及していった。「これからは電気だ」と考えた松下は配線器具など電気製品の商売に乗り出したが、第一次大戦が追い風になった。欧州からの電気製品の輸入が途絶えたことで、国産品の需要が一気に高まったからだ。大戦中は肥料や染料など国産の化学製品の生産が進み、電気製品も輸入代替化が進んだ。

商機をつかんで資本家として成功する者が現れる一方で、好景気の恩恵にあずかれず、貧困にあえぐ庶民たちが自らの不満やフラストレーションを行動として表す社会運動が生まれ、ストライキなどが頻発するようになった。労働者や農民、女性、学生、被差別部落民らの組織化が進んだ「大正デモクラシー」の時代を迎えた。

平野丸の事件が起きた背景、第一次大戦と日本とのつながりを詳しく振り返ってみよう。

総力戦

第一次大戦は欧州では「ザ・グレイト・ウォー」(大戦争)と称されている。主要な戦場は欧州大陸だったが、戦場は中東からアフリカ、アジア太平洋にもまたがった。植民地からは兵士や労働者として多数の人員が動員され、兵士と民間人の戦死者は合わせて約1600万人、戦傷者は約2000万人という未曾有の規模となった。20世紀は「戦争の世紀」と呼ばれるが、その起点となったのが第一次大戦だ。

英国にとっても、近代以降、英国が初めて経験した世界規模の大戦争であり、88万人という戦死者の多さから、100年以上が経過しても今も英国民の記憶に生々しく刻まれている。家族や親戚の誰かが従軍して命を落としたり、何らかの被害を受けたりした人の記憶が、今も残っているからだ。

さらに、19世紀末から20世紀初頭に激しさを増した欧州諸国によるアジア・アフリカ進出、植民地争奪戦、同盟・協商関係中心の国際関係が転換し、日本と米国という新興国が国際政治の表舞台に登場した。大量の民間人を巻き込んだ第一次大戦への反省から、戦後には国際連盟が発足し、欧州の大国間による「同盟の時代」から「多国間主義の時代」が到来した。同時に、国際政治では米国とソ連の存在感が急激に伸長し、欧州の地位が相対的に低下した。

中東では、英国がフランスとの間で、オスマン帝国支配下の東アラブの分割・支配についての「サイクス・ピコ協定」を締結した。同時に、ユダヤ人に対しては「バルフォア宣言」でパレスチナの地にユダヤ人国家建設を約束する一方、アラブ人に対しては「フサイン・マクマホン協定」でオスマン帝国からの独立支持を約束する「三枚舌外交」を展開し、今も続くイスラエル・パレスチナ紛争などの種を蒔き、さまざまな影響を残した。

周知の通り、第一次大戦は1914年6月28日のサラエボ事件をきっかけに勃発した。オーストリア・ハンガリー帝国がオスマン帝国から併合したサラエボ（現在のボスニア・ヘルツェゴビナの首都）で、オーストリア・ハンガリー帝国の皇位継承者フランツ・フェルディナンド大公と夫人が、反オーストリア組織に属するセルビア人青年ガヴリロ・プリンツィプによって暗殺された事件である。

背景には、汎スラブ主義に基づくセルビアの民族運動（大セルビア主義）と、ドイツの同盟国オーストリアの南下政策のせめぎ合いがあった。こうした緊張が最も先鋭的に現れたのは、多数の少数民族の存在が列強による複雑な利害対立を生み出し、当時「ヨーロッパの火薬庫」と呼ば

サラエボ事件描いたイタリア紙挿絵

れていたバルカン半島だった。
セルビア王国に最後通牒を突き付けたオーストリア・ハンガリー帝国は1カ月後の7月28日、宣戦布告した。さらに8月1日、ドイツがロシアに宣戦布告した。[87] 欧州はセルビアを支援するロシア、英国、フランスなどの連合国、ドイツ、オーストリア・ハンガリー帝国、オスマン帝国、ブルガリアの同盟国の二つの陣営に分かれ、さらに日本と米国が連合国側に付いたことで世界規模の戦争に発展した。
当初は短期決戦が信じられていて、ドイツの皇帝ヴィルヘルム2世は8月初めに兵士らに「落ち葉の季節となる前に、諸君は家に帰れるであろう」と告げた。[88] だが、戦闘は予想外に長期化し、第一次大戦は欧州の交戦国の国民にとって長期戦かつ、総力戦となった。
産業の発展、石油や電気という新たな動力源の発達によって、交戦国の人や物資などあらゆる資源が総動員され、兵士だけではなく、あらゆる国民が何らかの役割を担った。食料や生活必需品に価格統制が導入され、配給制も敷かれるなど、政府が経済活動を管理し、兵士だけでなく、戦争協力のためにあらゆる部門に国民を動員した。要するに、軍事力だけでなく、経済力や技術力など国力の総体が勝敗を決する戦争になった。

英国では100万人超の兵士や労務者が動員され、インドやカナダ、オーストラリア、ニュージーランド、南アフリカからも兵員や物資が動員された。平野丸に南アフリカ出身の兵士らが乗っていたこともその一端を示している。

大戦当初は歩兵や砲兵が中心の戦闘だったが、次第に潜水艦や戦車、飛行機、毒ガスなどの新しい兵器や技術が登場した。それまでの戦争の様相を大きく変えたのも第一次大戦とも言える。

戦車を世界で初めて実戦に投入したのは英陸軍で、1916年9月15日、フランス北部での第一次大戦最大の激戦、ソンムの戦いにおいてだった。西部戦線では歩兵による塹壕線が展開され、戦況はたびたびこう着状態に陥った。有刺鉄線が張り巡らされた敵の塹壕を乗り越えて、自軍の歩兵を展開させることができる装甲車両として戦車が開発された。

英陸軍の戦車、マークⅠが世界で初めて実戦投入されて100年となるのを記念して2016年9月15日、ロンドンの観光名所、トラファルガー広場で、改良型のマークⅣが展示された。

世界の戦車を展示している英国南部ボービントンの戦車博物館が企画したイベントだった。トラファルガー広場をたまたま通りがかったところ、側面が菱形の車体に大きなキャタピラーがついた珍しい戦車を観光客らが熱心に写真を撮っていた。

1915年4月22日、西部戦線のベルギー・イーペルでドイツ軍が世界で初めて毒ガスを本格使用したのは、膠着する戦況を一気に打開するためだった。ドイツ軍が6000本近いガスボンベから放出した大量の塩素ガスは風に乗って、塹壕にいたフランス軍の兵士を襲った。目や鼻の粘膜を刺激し、呼吸困難に陥れる塩素ガスにフランス兵らは苦しんだ。毒ガスはドイツ軍だけでなく、英国やフランス軍も使用し、イーペルにちなんだ「イペリット」(マスタードガス)という毒性の強いガスも開発された。イーペル周辺では現在も毒ガス弾を含む不発弾が発見され、ベルギー軍が処理を続けている。多くの人命が失われた一帯の草原はポピーの花が咲き乱れたという。

ベルサイユ講和条約が結ばれた後の1921年3月から9月までの半年間、当時皇太子だった昭和天皇が欧州を歴訪し、フランスやベルギーの第一次大戦の激戦地を6月に訪れている。「ヴェルダンの戦い」の戦跡では、フランス軍を勝利に導き、「ヴェルダンの英雄」と呼ばれたペダン元帥の説明を受けながら、傷跡が生々しく残る様子を視察し、「実に悲惨の極みである」と何度もつぶやいたという。加えて、皇太子に同行していた日本人記者団も「ソンムの戦い」

の跡などを目撃し、総力戦によって荒廃した欧州・の様子が詳細に日本にも伝えられた。

天佑

1914年（大正3年）8月8日未明、大隈重信首相の私邸で夜を徹して開かれた臨時閣議で、日本は第一次大戦への参戦を決定した。オーストリア・ハンガリー帝国が7月28日、セルビアに宣戦布告をしてからわずか11日後のすばやい決定だった。

日本国内ではドイツを国民国家形成の模範とみなし、法制度や医学、哲学などで学ぶところが多いとして親独感情も根強かった。政府内部にも第一次大戦のドイツ勝利を予想する声さえあったが、加藤高明外相は強引に連合国側についての参戦を決定した。

加藤高明

英国は当初、日本に参戦を要請していた。しかし、日本の狙いはドイツが中国で持つ権益を奪い、勢力を拡大することであることが分かると、英国は日本の動きを強く警戒し、軍事行動を東シナ海で商船を脅かすドイツ海軍を抑える作戦に限定するよう求めた。

8月7日夜から開いた臨時閣議で、加藤外相自身、日英同盟の規定に基づいて自動的に参戦する義務はないことを認めつつ、道義的な意味での日英同盟のつながりや国益の観点から参戦を主張した。日本政府は8月15日、ドイツに最後通牒を突きつけ、23日には「極東の平和と日英同盟の利益を守るため」として宣戦布告し、第一次大戦に参戦した。[89]

日本軍は9月2日に山東半島に上陸、極東におけるドイツの拠点、青島を11月7日に占領した。さらに、ドイツ領だった南太平洋のマリアナ、カロリン、マーシャル諸島方面に進出、サイパン島、ポナペ島、パラオ諸島など占領した。

元老たちのうち、山県有朋や松方正義は開戦に慎重な意見だったが、井上馨は、大隈内閣に対して参戦は「国運の発展に対する大正新時代の天佑」であると指摘、中国における権利拡張を図る好機だと主張した。同盟国であるはずの英国からは日本国内での議論に警戒する声が挙がっていたが、日本には、第一次大戦によって英国自身が中国に関与する余裕もなくなるだろうとの判断もあった。実際、大隈内閣は1915年1月18日、中国の袁世凱政府に対して、山東省内の旧ドイツ権益の継承など、日本の中国における権益拡大を「対華二十一箇条の要求」で突き付け、認めさせた。

青島などで降伏したドイツ兵約4700人は、日本国内に移送され、習志野（千葉県）、名古屋、青野ケ原（兵庫県）、板東（徳島県）、似島（広島県）、久留米（福岡県）などの収容所に入れられた。日本も加盟したハーグ陸戦条約（1899年署名）が捕虜の人道的な処遇を定めていたこともあり、ドイツ人捕虜の処遇は比較的寛容だったと言われている。

収容所内で講演会や演奏会など文化活動も活発に行われ、1918年に日本で初めてベートーベンの交響曲第9番（第九）が板東の収容所でドイツ人捕虜たちの楽団により演奏された。また、捕虜となったドイツ人菓子職人がバームクーヘンを日本に伝えたほか、パン製造の技術の向上やソーセージづくりにもドイツ人捕虜が貢献したとの史実が残っている。

地中海への艦隊派遣

日本は既に太平洋とインド洋での輸送船の護衛を行っていたが、英国は1914年9月に駐日大使を通じて、11月にはチャーチル海相が直接、地中海への艦船派遣を日本に打診した。日英同盟の適用範囲は東アジア及びインドに限られており、同盟の義務を越えるものだった。日本側は、日本海軍は自国防衛を任務としており、海外派遣の能力を有しておらず、国論も許さないだろうとしていったん拒否している。

派遣要請に積極的に応えることは、戦争終結後の日本の国際的地位向上が期待できる、兵器改良などにより海軍戦術の向上にも資するとの意見が海軍内で高まった。1917年に入って、ドイツは無制限潜水艦作戦の実施を決定、日本は英国に対して、講和の際には山東省や南洋諸島を日本が領有することを支持するよう要求、英国はこれを受け入れた。17年1月11日、英国は輸送船舶の護衛のために地中海への日本艦船派遣を要請、日本政府は2月10日の閣議でこの受諾を決定し、巡洋艦明石と駆逐艦8隻からなる「第二特務艦隊」を編成、うち駆逐艦4隻が18日に佐世保を出発した。

その後の増派もあり、第二特務艦隊は、地中海に浮かぶ英国の植民地、マルタ島を基地として英海軍地中海艦隊司令官の指揮の下で、地中海をアレクサンドリア(エジプト)―マルタ―マルセイユ(フランス)、アレクサンドリア―タラント(イタリア)、マルタ―サロニカ(同)間などで輸送船団の護衛任務に就いた。

5月には、ドイツ軍潜水艦の雷撃を受けた英国の兵員輸送船トランシルヴァニアに、駆逐艦松と榊が横付けして救助作業を行い、約3000人を救助するなど、勇敢な活動は高く評価された。しかし、6月、榊は東地中海のクレタ島沖でオーストリア・ハンガリー帝国海軍のUボート、U27の雷撃を受けて大破し、艦長の上原太一中佐以下59人が死亡した。

最終的に第二特務艦隊の護衛任務は348回、英国を中心とした連合国の軍艦や輸送船など788隻、人員にして約75万人を護送した。[90] こうした地道な活動は、フランスやイタリア軍の稼働率の低さに比べて称賛された。

ただ、米国海軍に比べると、戦果はささやかなもので、平間洋一・元防衛大教授は著書『第一次世界大戦と日本海軍』の中で「地中海派遣の最大の成果は、大戦終了後の講和会議の最中に、第二特務艦隊の艦艇が英国、フランス、ベルギー、イタリアなどを訪問し、日本がヨーロッパまで艦隊を派遣していたことを連合国諸国民に認識させたこと」と指摘している。

2017年5月、マルタの「第二特務艦隊戦死者之碑」に参る安倍晋三首相（当時）（首相官邸のフェイスブックより）

第二特務艦隊の作戦は哨戒作戦や護衛であり、大きな戦闘行動を伴わなかったため、これまで軽視されがちだった。注目を集めたのは、作戦から１００年を記念して、２０１７年５月、当時の安倍晋三首相がマルタを訪問、旧日本海軍戦没者墓地を訪れて献花した時のことだ。

第一次大戦後の国際秩序の中で、パリ講和会議に参加して５大国の一角を占めるまでに地位を高めることができた一因として、大戦の主戦場である欧州に目に見える形で艦船を派遣したためとの指摘もある。

日本は艦船派遣だけでなく、英国、フランス、ロシアの連合国からの武器提供の要請にも応じている。小銃や砲、砲弾、弾薬、石炭などの武器や軍事物資を有償、無償で提供している。船舶提供できる武器などがなくなると、フランスからは駆逐艦の委託建造まで受注している。船舶不足に苦しむ英国などへの船舶の輸出で多大な利益を得た川崎造船所の社長、松方幸次郎がその資金により収集した美術品などは「松方コレクション」として東京・国立西洋美術館などに展示されている。

観戦武官の死、在独邦人の抑留

第一次大戦で最大の海戦となったのが、1916年のユトランド沖海戦である。最新鋭の巡洋戦艦などからなる英海軍の「大艦隊」とドイツ海軍の「大洋艦隊」が、5月31日から6月1日にかけてデンマークのユトランド半島沖の北海で激突した。英軍側は14隻を失い、約6000人が戦死、ドイツ軍は11隻を喪失し、約2500人が死亡する被害を被った。[91] 英海軍の長い歴史の中でも特筆すべき戦いで、ロンドン郊外グリニッジの国立海事博物館などには詳しい展示がある。

英軍側の死者の中には、日本海軍の将校が一人含まれていた。当時、ロンドンの日本大使館付の駐在武官、下村忠助少佐[92]である。下村は、同盟国の将校が第三国の戦争を観戦するために派遣される観戦武官として、英海軍の巡洋戦艦、クイーン・メリーに乗艦していた。クイーン・メリーは5月31日、ドイツ側の砲撃を受けて爆沈、下村も艦と運命を共にした。

ユトランド沖海戦からちょうど100年となった2016年5月31日、英国スコットランドの北方沖に浮かぶオークニー諸島の町、カークウォールで慰霊式が行われた。ユトランド沖海戦で英海軍の主力艦隊が出撃したスカパフロー基地がカークウォールにあったからだ。カークウォールの聖マグナス大聖堂で行われた慰霊式には、当時のキャメロン英首相やドイツのガウク大統領らに混じって、犠牲者を出したオーストラリア、ニュージーランド、カナダなどの代表のほか、日本からは在英国日本大使館の加藤元彦全権公使、防衛駐在官の北川敬三1等海佐が出席した。

下村忠助

このほか、第一次大戦中に死亡した観戦武官として江渡恭助中佐[93]がいる。江渡は1917年7月、英戦艦ヴァンガードに観戦武官の一人として乗船していたが、スカパフローに停泊中に艦内の弾薬庫が爆発、ヴァンガードは沈没し、江渡も死亡した。

多くの日本人にとって第一次世界大戦は「他人事の戦争」だったと書いたが、敵国となったドイツに居住していた日本人にとっては、人生を大きく左右する出来事だった。奈良岡聰智・京都大大学院教授の著書『「八月の砲声」を聞いた日本人』は、ドイツに拘留され、抑留生活を送った日本人の数奇な体験を掘り起こしたものである。加藤外相のいとこで医師の植村尚清がオランダ国境に近いクレーフェルトで3カ月近く抑留された際の手記を収めているが、大変興味深く、貴重な記録だ。ちなみに「八月の砲声」とは、大戦勃発の過程や「総力戦」の実態を克明に描いた米国人ジャーナリスト、バーバラ・タックマンよるノンフィクションの名著のタイトルである。

開戦の年、1914年12月8日に神戸港に到着した平野丸にも、ドイツのハイデルベルクで2カ月半に渡って抑留されたハイデルベルク大学の日本人留学生が帰国のために乗っていた。「さながら地獄の旅のようだった」との見出しが付いた新聞記事で、日本人学生は、ドイツ当局による処遇について「収監中のわれわれから食費を徴収した」とし、「けち臭さ加減にあきれざるを得ない」と憤っている。[94]

戦前まで日本と友好関係にあったドイツには当時、学者や軍人、医師など、約600人の日本人が居住していた。日本がドイツに宣戦布告し、交戦状態に入ったことで、日本大使館は閉鎖、外交官は退去した。民間の日本人も多くが英国などに脱出したが、100人ほどがドイツに残る判断をした。

しかし、ドイツ国内で反日感情が高まったため、ドイツ政府は日本人を保護するとの名目で身柄の拘束を決定、実際に日本人がベルリンやフランクフルトなど各地で抑留された。結局、日本政府による再三の抗議と釈放要求もあり、抑留は最長でも80日ほどで終わり、スイス経由でドイツを離れた。奈良岡氏は、ドイツで抑留を体験した日本人について「本土にいた日本人より一足早く、過酷な『総力戦』の現実に触れたと言える」と指摘している。

女の軍人さん

あまり知られていないが、第一次大戦の西部戦線の最前線で戦った日本人義勇兵、そして欧州に派遣された日本から女性の看護師（救護看護婦）もいた。

日本人義勇兵は、カナダへ渡った日本からの移民たちだ。明治になって海外で一旗揚げようと、新天地を求めて日本から米国やカナダに移住する人が相次いだ。カナダに渡った日系人たちの多くは農業や漁業、鉱業などに従事していたが、選挙権がなく公務員や専門職に就くことができなかった。アジア系移民の増加で職を奪われると感じたカナダ人の間に、排斥運動が起き、日本人は黄色人種として露骨に差別を受けていた。

バンクーバーで日本語新聞を発行していた日本人会会長の山崎寧は、志願兵としてカナダ兵と一緒に戦えば、身を持ってカナダへの忠誠を示すことになり、選挙権も獲得できるのではないかと考えた。英国の自治領だったカナダからも志願兵がフランス北部などで英軍の指揮の下、戦っていた。山崎は新聞紙上で日本人の義勇兵を募集、1916年6月にカナダ・アルバータ州の大隊の一員として日本人約200人が加わった。

ただ、その代償は大きく、54人がイーペルなどで戦死し、92人が負傷した。[95] 最前線で戦った日本人のみに1931年に選挙権が与えられたが、第二次大戦の開戦で日本人は「敵性外国人」とされ、選挙権は剥奪され、強制収容所に送られた。バンクーバーのスタンレーパークには日本人義勇兵らの慰霊碑が今も残っている。

一方、戦線に派遣された看護師たちは、日本赤十字社が派遣した「救護班」の女性たちである。大阪市立大学の荒木映子名誉教授の著書『ナイチンゲールの末裔たち』によると、日本赤十字社は1914年10～12月、優れた看護技能をもち、多少の外国語の素養がある精鋭計58人を英国、フランス、ロシアの3カ国に送っている。

看護師たちの派遣は日本の国力発揚と威信がかかっていた。新橋停車場での出発式は万歳の声が響き渡り、盛大なものだった。

現地に入った救護班の看護師たちは熱心かつ献身的に活動を続け、次第に受け入れ国にも好評を博し、信頼を勝ち得て、フランス、ロシアでは2回、英国では1回派遣期間が延長されている。

カナダの日本人義勇兵の一人で『アラス戦線へ』との自伝を残している諸岡幸麿（さちまろ）は1917年、フランスの戦線で腰部を負傷し、フランスの赤十字病院を経て、英国ハンプシャー州ネトレーの陸軍付属英国赤十字病院に送られた。奇しくも同じ病院で15年末まで、日本から派遣された日本赤十字病院救護班の看護師たちが活動していた。諸岡は英国人の看護師たちから「おはよう」「いかがですか」などと、日本人看護師から学んだ日本語で話しかけられ、驚いたと記している。[96]

献身的な看護、職業意識の高さ、使命感は受け入れ国の人たちの記憶に深く刻まれた。第一次大戦という舞台は、看護師の日本人女性たちにも、世界に伍して活躍する機会を与えたのだった。

シベリア出兵

日本は、地中海への海軍艦隊派遣の見返りとして、東アジアや南太平洋でのドイツの権益を引き継ぐことを英国などに認めさせ、これが1917年に第二特務艦隊の活動につながったことは既に記した。

米国に対しては、1917年11月の「石井・ランシング協定」で中国権益を承認させている。具体的には石井菊次郎特使とランシング国務長官の間で交わされた交換公文による共同宣言で、日本が中国、特に東北部で特別な権益を有することを認めさせた。

一方、第一次大戦の長期化で疲弊したロシア国内では、経済状況の悪化に伴い、専制体制に反対する大規模なデモが拡大した。同年3月の首都ペトログラード(現在のサンクトペテルブルク)での労働者のゼネストをきっかけとする「二月革命」[97]でロシア帝国は崩壊、11月の「十月革命」で社会主義勢力のボリシェビキが政権を掌握した。ロシア革命政権は英国やフランスの同意のないまま、12月にドイツとの休戦協定に署名、18年3月、ブレスト・リトフスク条約によりドイツなど同盟国側と単独で講和を結んで戦争から離脱した。ドイツは東部戦線の兵力を西部戦線に振り向けることが可能となった。

これに対して、連合国の英国やフランス、米国、そして日本は、反革命勢力のロシア人を支援してロシア革命に干渉した。同時に、ドイツの目を再び東部戦線に向けさせるために行ったのが、1918年8月からのシベリア出兵である。革命軍により捕虜となったチェコスロバキア軍団の救出が名目で、米国のウィルソン大統領も日本に共同出兵を要請した。ただ、西部戦線で戦っていた英国やフランスにシベリアへの派兵の余裕はなく、日米が派兵することになった。地理的にも近い日本は8月2日に出兵を宣言、シベリア出兵の主力となった。

日本の兵力は国際協定で1万2000人とされていたが、実際にはこれに違反する形で7万2000人を派兵した。日本は反革命政権の樹立をもくろんだが失敗、極寒のシベリアでパルチザン(ゲリラ)の激しい抵抗に遭った。日本軍兵士によるロシアの革命派の村落(イワノフカ村)焼き討ち事件が発生したほか、アムール川河口のニコライエフスク(尼港)ではパルチザンによる日本居留民の虐殺事件(尼港事件)もあった。第一次大戦の終結で連合国各国はシベリアから撤兵したが、日本がシベリアから大部分の兵力を撤退させたのは大戦後の1922年のことで[98]、米国などからは日本の領土的野心を疑われ、日米関係の悪化要因となった。

同盟国の不信感

平野丸の事件が起きたのは日英同盟の時代だったが、第一次大戦末期の日英関係は必ずしも良好とは言い切れなかった。そもそも1902年に締結された日英同盟は、ロシアの南下政策に共同で対抗することが目的だった。だが、日露戦争後の1907年、日本とロシアは日露協約により、満州などでの利益範囲を分割し、日英同盟の意義は低下していた。中国での権益をめぐって日英の利害は次第に対立するようになっていた。

英国は当初、日本の第一次大戦への参戦自体にもその意図を警戒して慎重な姿勢を崩さなかった。英国の狙いは、親ドイツ世論を国内に抱える日本を連合国側に引き留め、日本がドイツに対して友好的な行動を取ることを阻止することにもあった。

しかし、戦争が予想に反して長期化すると、英国は日本に欧州への派兵を再三要請した。日本は1917年2月に地中海へ海軍の第二特務艦隊を派遣したものの、陸軍の派兵については、英国、フランス、ロシアからの要請を結局拒否している。ロシアが戦線を離脱し、ドイツ軍がパリ郊外に迫った同年秋には日本に派兵を求める声がさらに高まった。日本は連合国に、武器や弾薬の譲渡や武器の委託生産などで協力したが、実際の陸軍派兵については固い姿勢を崩さなかった。

陸軍は「祖国防衛が本務であり、第一次大戦の参戦も東アジアの平和を実現するためで欧州への出兵は考慮に値しない」と主張した。さらに、極東から兵員を船舶で派遣する莫大な費用や、部隊への補給も含めて必要な装備、編成が十分ではないと主張し、派兵は困難との原則的な立場を変えなかった。陸軍内部にはドイツ勝利を信じる勢力もあり、戦争がどのような形で終結し、戦後秩序が形成されるかが見通せない中で、欧州での戦乱に巻き込まれないよう一定の距離を置くべきだと考えたようだ。[99]

国民世論も必ずしも派兵に賛成ではなかった。日本から遠く離れたヨーロッパに派兵することが必ずしも日本の安全保障に直結しなかったこと、中国での通商上の利益を異にする英国に対する反感もあった。

海軍の第二艦隊派遣にしても、本来、日英同盟の適用範囲は東アジアからインドまでだった。1911年の第三次改訂では同盟が対米戦争に適用されなくなっていた。これを変更することと引き替えに、講和会議での南洋群島の日本の領有を認めさせた。

こうした日本の姿勢について、英国など同盟国の間では、同盟国の国民が苦況にある中で、派兵要請に応じない日本への非難や不満が高まっていた。日本は自分の利益だけ追求し、共同の敵に立ち向かうという考え方が一切ないとみられた。特に英国は、欧州に派兵した米国と比較して、同盟国でありながら協力を渋る日本に強い不信感を抱いた。

英国の駐日海軍武官のライマー大佐は1918年3月の報告で、日本の政治家は日英同盟を日本外交の「要」だと常に公言しているが、実際は日本の行動原則は第一に「最大の経済的利益を追求すること」であり、次いで戦後の国際関係を考えてドイツ国内で強い反日世論が起きないように同盟国への支援を消極的にとどめることだと指摘している。さらに日本について「自国のことしか考えないエゴイストで、他国のために犠牲を払う感情は持っていない」と厳しく非難している。[100] 第一次大戦中に駐日大使を務めたカニンガム・グリーンも、日本側は英国の協力要請に対して常に代償を求めたとし、[101] ニコルソン外務次官も「私は日英同盟を全然信用していない。日本は最小のリスクと負担で最大の利益を引き出そうとしている」と不満を表明している。

休戦交渉提案の日

戦況の行方を決定付けたのは1917年4月の米国の参戦だった。さらにロシアで革命が起き、ロシアはドイツの単独講和により戦線を離脱する中、米国の参戦は連合国を勢いづかせた。特に、米国の圧倒的な工業力や資金調達力は大きな支援となった。理想主義者だった米国のウィルソン大統領は戦後をにらんで、翌年1月、上下両院合同会議で、軍備縮小や秘密外交の廃止、民族自決、国際平和機構の創設などからなる「平和原則十四カ条」を発表して和平を提唱した。

このころになると、ドイツ国内では食料不足から、国民の間に栄養不足が蔓延した。ベルリンを含めた全国で「平和、パン、自由」を求める市民のストライキが発生した。3月から7月にかけて、ドイツ軍は西部戦線で大攻勢に出て、4月にはパリに迫ったが、補給は不足し、疲弊した部隊に交代はなかった。米軍の部隊増強が続く中で、ドイツ軍は戦況を決定づけられるような戦果を収めることはできなかった。

ドイツの最高実力者とみなされていた軍参謀次長のルーデンドルフも8月ごろには「勝算なし」と認識していた。秋に入ると休戦協定締結に向けた具体的な動きが出始める。9月半ばにはオーストリア・ハンガリー帝国が休戦交渉入りの用意を発表、月末にはブルガリアも休戦を連合国側に申し入れた。

9月28日にはベルギー・スパの大本営で、ルーデンドルフとヒンデンブルク参謀総長が皇帝ヴィルヘルム2世に対して、危機的な戦況を報告、休戦交渉の開始とそれを担うことができる議会主義の政府樹立を提案し、皇帝は了承した。これを受けて政府と軍は29日、ウィルソンの十四カ条を承認して、英国やフランスなどではなく米国と休戦協定の締結交渉に入ることを決定した。ヘルトリング首相は辞任し、皇帝は10月3日、英仏で評価の高かったバーデン大公国の大公子マックスを新しい首相に任命し、交渉入りを指示した。

マックスがウィルソンに対して、十四カ条を交渉の基礎として受け入れると表明し、休戦協定交渉入りを提案する覚書を送ったのは翌4日。つまり、平野丸撃沈の日だった。皮肉なことに、その日こそが戦争終結に向けて正式かつ具体的な動きが始まった日なのだった。

ウィルソンは、十四カ条の無条件受諾やドイツによる全ての占領地からの自主的な撤退などを要求した。ドイツ側はこれに前向きな回答をしたが、その直前の10月10日、アイルランド沖で郵便定期船レンスターが、Uボートに撃沈される事件が発生、犠牲者には米国人も含まれていた。ウィルソンは、ドイツがUボートによる攻撃を続ける間は、和平はあり得ないと態度を硬化させ、14日、ドイツ側にUボートによる無制限潜水艦作戦の即時中止を要求した。これを受けて、マックスは20日、海軍に対して潜水艦による客船攻撃の中止を命じたとウィルソンに伝達した。

29日、北海沿岸のドイツ・ヴィルヘルムスハーフェン軍港の「大洋艦隊」の水兵たちが反乱を起こした。海軍司令部が、戦局の最後の大転換と降伏回避に望みを託して、英海軍「大艦隊」に決死の総攻撃を仕掛けるべく出撃を命じたためだった。休戦協定締結の動きがある中、水兵たちは出撃を自殺行為とも言える無謀な作戦として拒否したのだった。

逮捕された兵士が送られたキール軍港では11月3日、仲間の釈放を要求する水兵らによる抗議行動が勃発、憲兵がデモ隊に発砲する事態に発展した。4日、水兵や兵士、労働者らがキール軍港を制圧し、艦に赤旗が翻った。キールの蜂起を契機に各地で同様の反乱が発生し、革命のうねりとなって全国に広がった。9日、ベルリンで共和国樹立が宣言されると、皇帝ヴィルヘルム2世はオランダに亡命した。結局、11日、フランスのコンピエーニュの森に停められていた鉄道車両の中で休戦協定が結ばれた。第一次大戦は、平野丸の事件から37日後に終結した。

日英同盟に終止符

休戦協定締結を受けて、1919年1月18日からパリで開かれた講和会議で、日本は戦勝国として米国、英国、フランス、イタリアと共に5大国の一員の地位を獲得した。パリ講和会議は日本が初めて大国として参加した国際会議となった。米国からはウィルソン大統領、英国はロイド・ジョージ首相、フランスはクレマンソー首相、イタリアはオルランド首相と、それぞれトップが参加し、日本政府からは全権として西園寺公望元首相、牧野伸顕元外相、珍田捨巳駐英大使、松井慶四郎駐フランス大使らが参加した。

戦時中はドイツやオーストリア・ハンガリー帝国に対して共同で戦った連合国諸国の間で、戦後処理に際して利害対立が顕在化した。ウィルソンの関心は「平和原則十四カ条」を具体化

1918年11月11日、休戦協定合意後に、コンピエーニュの森に置かれたフランス軍元帥フェルディナン・フォッシュ（右から二人目）の司令部用車両の前で撮影された写真。

して恒久平和を実現するため、国際連盟を創設することにあった。一方、英国やフランスはドイツの軍備縮小や賠償金の支払い、領土割譲を重視、日本にとっては中国山東省や太平洋での旧ドイツ権益の継承問題が最重要課題だった。

これに対して中国では、日本の「二十一カ条要求」の撤回と山東省の旧ドイツ利権の返還を求めて日本製品のボイコットやストライキなどの「五・四運動」が展開された。ウィルソンの「平和原則」に盛り込まれた「民族自決」の主張に刺激された日本統治下の朝鮮では、「三・一独立運動」が起きた。

日本は国際連盟設立に賛成に回る一方、米国やカナダでの日本人移民排斥を念頭に、連盟規約に「人種差別撤廃」を明記することを提案したが、英国などの反対で却下されている。

1921年11月から日本を含む5大国など9カ国によるワシントン会議が開催され、軍備管理や中国の領土保全や機会均等を議論した。12月には、太平洋における各国の権益を保障する日本と英国、米国、フランスの「太平洋に関する四カ国条約」が結ばれ、1923年8月17日、同条約の発効と同時に日英同盟は失効した。英国にとってドイツやロシアがもはや敵対する存在ではなくなったことから、日本との同盟関係は不要になった。20年間に渡った日英同盟の時代はついに終止符を打ったのだった。

賠償金と救恤制度

1919年6月28日に結ばれたベルサイユ条約で、第一次大戦の結果生じた損失の責任は「ドイツ及びその同盟国」にあると明記された。損失に対する補償を行うべきだとしつつも、ドイツに完全な補償を行う能力がないことを確認した。懲罰として戦争にかかわるあらゆる経費を賠償に含めるよう求めるフランスに対して、理想主義を掲げる米国のウィルソン大統領は無賠償の理想を掲げ、ベルサイユ条約では具体的な賠償額の確定が先送りされた。

最終的に1921年4月に決定された賠償額は1320億金マルク、現在の円に換算すると、500兆円近い天文学的な数字だった。こうした巨額の賠償金と軍備制限が、ドイツ国民にとって大きな負担となり、賠償支払い拒否を掲げるナチス・ドイツの台頭につながったことはよく知られている。

戦勝国となった日本はベルサイユ条約によってドイツに賠償を求めることができる立場となった。賠償金額の決定に先立ち、各国の分配比率が1920年の関係国の会合で合意されたが、フランス52％、イギリス22％などと並び、日本は0・75％を受け取ることができるとされた。日本に対して、賠償として金銭だけなく、船舶7隻、鉄道、薬品などの現物での支払いもあった。

平野丸犠牲者の遺族は救恤という見舞金を政府に申請しているが、第一次大戦の救恤は、必ずしも犠牲者遺族に代わって賠償金をドイツに請求し、得られた賠償を配分する前提で行われたわけではなかった。むしろ、国民に被害を申告させることは、ドイツへ国家賠償を請求するに当たって、被害の全容を把握するための積算根拠を計算するためのものだった。[102]

そもそも救恤とは、戦争や自然災害の被害者に対して、無償で供与される見舞金のことである。この制度は日露戦争時に、中国東北部や朝鮮半島、ロシアに住んでいた日本人被害者に、政府が予算の上限を決めた上で金銭的な救済措置を行ったことが始まりで、シベリア出兵など戦争などのたびに特別法がつくられ、これを根拠として救恤が実施された。

日本政府は戦争に伴う民間人の賠償請求権は認めないという立場を取っていたものの、開戦で交戦国から退去を余儀なくされたり、財産を没収されたり、乗船した船舶が攻撃を受けて沈没したりした場合に、賠償ではなく、救恤という見舞金を分配することにしたのだった。

１９２５年3月の国会で、第一次大戦に伴う救恤金総額を５００万円とする法案が可決、成立し、申請、審査などを定めた勅令が4月に発布され、その年の7月末までに申請をしなければならないと定められた。さらに１９２９年には、主に船舶被害を訴える海運業界を中心に、総額４００万円の追加救恤が行われた。[103]

国立公文書館に残されている救恤申請書には、本籍や住所、生年月日、年収額、所持品などが記載された損害証明書のほか、平野丸の乗客や乗組員として被害を受けたことの日本郵船の証明書、戸籍の写しなど一式が付いている。

遺族らは府県を通じて申請書を提出し、書類は各府県知事から外務省に回された。申請者の被害額査定と救恤金額の決定は、大蔵省、外務省、陸軍省、海軍省、商工省などの官僚からなる救恤審査会が行った。当然のことながら、審査会の厳しい査定により、実際に決定された救恤金額は申請額と比べてかなり低いものになった。

救恤の制度ができたことが一般に広く知られていたとは必ずしも言えないようだ。例えば、乗客の藪正毅の母親が追加救恤の際に提出した申請書には、「大正14年（１９２５年）の期間内に申請せざりし理由」として、「遺族は老人または修学中の青年のみにして、官報公示を見る機会なく、全く公示を知らざりしによるもの」との記述がある。同様に、山本新太郎の遺族が申請したのも藪の遺族と同じ年で、法律に基づいた救恤の制度がある事実を知らなかったと説明されている。

8 平野丸という船

欧州航路

航空路線が発達する以前の世界にとって、人や物の流れを支えたのは海上交通だった。「七つの海」を支配すると言われた大英帝国の国力の源泉は海軍力だったし、その繁栄は海を通じた植民地との貿易によるものだった。海上交通路の発達は、国力や経済力とも密接に結びついていた。日本政府は1890年代から、海軍と商船を富国強兵の両輪として国民に宣伝していった。[104]

19世紀の産業革命以降の海上輸送の発達は、世界各地との行き来を活発にし、グローバルな結び付きを深める役割を果たした。幕末の開国と明治維新で日本もグローバル化する世界に組み込まれていった。海運による貿易を通じて、経済的な相互依存関係が深化し、海外の文化も伝わるようになった。

日本においては外国航路の発達は近代化や西欧化、殖産興業の歩みと一致する。航空路線がなかった時代、外国に渡る手段は船舶しかなく、開港された横浜などと世界を結ぶ海運が急激に発達した。ただし、明治に入ってすぐの時代には欧米の海運会社が内外航路を独占し、開港された各地の港における交易を支配していた。

岩崎弥太郎（国立国会図書館蔵）

そうした中、日本の海運業の礎をつくったのが、土佐藩出身の岩崎弥太郎だった。同藩の回船業者、九十九商会を継承し、三川（みつかわ）商会を設立、1873年（明治6年）、三菱商会と改称した。翌年に本社を大阪から東京に移して三菱汽船会社と称し、日本が台湾に出兵した「征台の役」で兵員や軍事物資の輸送を請け負って政府の信頼を勝ち取り、外国の海運会社との熾烈な競争も乗り越えて急成長した。1875年には、横浜と上海の間に日本初の定期外国航路を開設し、郵便汽船三菱会社と改称、民間の海運会社を育成する政府方針によって日本国郵便蒸気船会社の汽船払い下げや定期輸送事業の譲渡を受けた。

米国のパシフィックメイル社（Pacific Mail Steamship Company）、英国のP＆O汽船会社（Peninsular & Oriental Steam Navigation Company）と激しい運賃競争を展開し、両社をこの路線からの撤退に追い込んだ。ただ、三菱が１８７７年の西南戦争での軍事輸送などで海運業における独占的な地位を確立するようになると、これに対抗して、政府や三井系の共同運輸会社が１８８２年に設立された。両社はダンピング競争で消耗して、大きな損失を出すようになり、１８８５年、両者の合併によって日本最大の海運会社、日本郵船会社が設立された。白地に日本の赤い線が入った同社の旗、通称「二引の旗章」は日本の海運界を代表する2社が大同合併したことを示すと同時に、日本郵船の航路が地球を横断するとの決意を表しているという。[105]

日本郵船会社は当初、上海、ウラジオストク、仁川の海外航路を持つのみだったが、１８９3年、日本郵船株式会社と改名した後、日本初の遠洋定期航路であるインド・ボンベイ（現在のムンバイ）との定期航路を開設した。基幹産業として発達しつつあった日本国内の紡績業に、インドの棉花を供給するために極めて重要な航路だった。日本政府も多額の補助金をつぎ込み、英国、オーストラリア、イタリアの3社の連合体との熾烈な運賃競争を耐え抜いた。

日本政府は、日清戦争の勝利で日本がアジアの近代国家として認められるようになったことを追い風に、海外航路の拡張を欧米列強に伍していくための足掛かりと位置付けていた。日本郵船は１８９６年3月、日本で初めて欧州を結ぶ定期航路を開設したのを皮切りに、8月に米国航路、10月にはオーストラリア航路の3大遠洋航路を開設した。

この年、日本郵船はロンドン支店を開設した。3月15日、横浜―ロンドン間に就航したのは、岩崎弥太郎の出身地、土佐から名付けられた「土佐丸」だった。欧州航路の開設には、三菱の元社員で日本郵船に務めていたこともある後の首相で当時の駐英公使、加藤高明も尽力した。

このころの日本郵船の社長は、1895年から第一次大戦後の1921年に死去するまで26年にわたり経営トップの座にあった近藤廉平が務めていた。近藤は明治・大正期に日本郵船の基礎を築き、同社を世界的な海運会社に成長させた立役者で、パリ講和会議にも海運業界を代表して参加した。

欧州航路では当時、既得権を主張する欧米の海運会社が日本郵船の参入を認める条件として、日本からの往路は上海に寄港できない、逆に復路にはロンドンに寄港できないという制限を付けていた。いずれも貨物の集積地であり、日本郵船にとって大きなハンディだった。[106]

明治初期の不平等条約の時代には船長や高級船員も西洋人でなければならず、「お雇い外国人」と呼ばれた人たちが日本海運の成長を支えた。平野丸のフレイザー船長もその一人だったと言える。

外交努力によって次第に不平等条約が改正されていく中で、日本の海運業の担い手となる日本人船員を養成する必要性が高まった。1875年には岩崎弥太郎の三菱が三菱商船学校[107]

を東京・霊岸島（現在の東京都中央区新川）に設立した。1896年、日本郵船のボンベイ航路の広島丸が船長を含めて全ての乗組員が日本人となる初めての船となった。欧州航路では1906年、博多丸に初の日本人船長が登場、日本郵船の全船長と高級船員が日本人となったのは1920年のことだった。[108]

日露戦争後、日本郵船は航路の整備や拡充を図ったが、同時に船隊増強にも取り組んだ。特に欧州航路に使用する8500総トン級の貨客船6隻を三菱長崎造船所と川崎造船所に発注、1908年から翌年にかけて完成している。この6隻の中には平野丸も含まれていた。さらに1万総トン級の5隻が1913年から翌年にかけて竣工し、欧州航路の新造船は11隻となった。

大正時代までに欧州航路を利用した著名人には、哲学者の和辻哲郎、小説家の島崎藤村らがいる。和辻は1927年の欧州航路の体験を『風土』にまとめ、フランスから1916年に日本郵船の熱田丸で帰国した島崎は、船上の旅情を描いた紀行文「海へ」を同年に発表した。1922年に来日したアインシュタインもフランス・マルセイユから日本郵船の北野丸に乗船し、ノーベル物理学賞授与の知らせを聞いたのは北野丸での船旅の途中だった。

日本人が海外に渡ることは当時、「洋行」と呼ばれていたが、平野丸が遭難した第一次大戦末期は、官僚や軍人、ビジネスマンらによる欧州視察が普通になったころでもあった。

戦時下での運航継続

第一次大戦は日本全体にとって「天佑」だったが、とりわけ海運業界には空前の活況をもたらした。開戦によってドイツやオーストリアなど同盟国の商船が市場から撤退した上、連合国や中立国の船舶も戦時徴用され、北米やインド・太平洋地域から欧州戦線に兵員を輸送するために使われた。東アジアと欧州を結ぶ航路は日本の海運業の独占状態となった。

日本郵船は欧州航路で、英国東岸と日本を結ぶ路線だけでなく、英国西岸への寄港を目指していたが、西岸と日本を結ぶ航路を独占していた英国のブルー・ファンネル・ライン社（Blue Funnel Line）の抵抗で実現しなかった。しかし、大戦が勃発して英国政府が船舶管理を行うと、ブルー・ファンネル・ラインは船腹不足から、日本郵船に対して西岸への寄港を要請した。日英両国政府の協議の結果、日本郵船は1917年5月末に出航した香取丸からリバプールにも寄港させることになった。

大戦初期には、インド洋などでドイツの軽巡洋艦エムデンなどが中立国の商船を相次いで拿捕、撃沈した。日本郵船の欧州路線の船舶は危険を回避するため、寄港地で長期停泊を余儀なくされたが、1914年11月にエムデンが戦闘に敗れ、破壊されると、欧州航路への脅威はいったん小さくなった。

日本から欧州の連合国向けの軍需品や食料などの輸出は急拡大し、世界的な船舶不足によって運賃が高騰、日本郵船はかつてないほどの業績を上げた。例えば、戦前に1トン当たり40シリングだった穀類運賃は1918年には1000シリング以上になった。[109]

近藤廉平社長は同年11月の株主総会で次のように述べている。

「本期はご承知の如く、会社創業以来の未だかつて見ざるところの大々的良好なる成績を挙げましたが、これは引き続き時局の好影響を受け、運賃率が比較的高位に保たれたると、一方、船舶の操縦その宜しきを得、また社員の黽勉（務め励むこと）能くそのことに当たりたるとの結果に他なりませぬ」

日本郵船の近藤康平社長（国立国会図書館蔵）

日本郵船は第一次大戦で5隻の船舶を失っている。最初にドイツの潜水艦の攻撃に沈んだのは1915年12月21日の八坂丸（総トン

	日付	場所	備考
八坂丸	1915年12月21日	エジプト・ポートサイド付近	潜水艦攻撃、全員無事
宮崎丸	1917年5月31日	イギリス海峡	潜水艦攻撃、8人死亡
常陸丸	1917年9月26日拿捕 1917年11月8日撃沈	インド洋	ドイツ仮装巡洋艦に拿捕され、撃沈。最終的には16人死亡、船長自殺
徳山丸	1918年8月1日	大西洋	潜水艦攻撃、全員無事
平野丸	1918年10月4日	アイルランド沖	潜水艦攻撃、210人死亡・不明

第一次世界大戦中の日本郵船の客船被害(『日本郵船株式会社百年史』より)

数1万932トン)。1917年5月31日に宮崎丸(7891トン)がイギリス海峡で潜水艦に攻撃され、乗客1人、乗組員7人を失った。同年9月26日には常陸丸(6556トン)がインド洋でドイツの仮装巡洋艦に拿捕され、乗船者は同艦に収容され、ドイツの収容所で抑留された。常陸丸は11月8日に撃沈され、最終的に乗客2人と乗組員14人が死亡、船長は自殺した。1918年8月1日には、徳山丸(7033トン)が大西洋上で潜水艦の攻撃を受けたが、全員無事だった。結局、平野丸は第一次大戦で最後の被害となり、犠牲者の数は日本の商船で最多だった。

5隻の中でもスエズ運河河口のエジプト・ポートサイドでUボートに撃沈され、沈没した八坂丸は、冷静沈着な船長の判断と指示により、乗客120人、乗組員162人全員が手早く救命ボートに乗り移り、奇跡的に1人のけが人も出さずにフランスの軍艦に救助された。『日本郵船株式会社五十年史』は「かかる事例はほとんど記録の示さざるところとして世人の称賛を博し、大いに本邦海員の名誉を発揚したり」と記している。[110]

救助された八坂丸の乗組員の一人に、岩崎徳治という1等船客担当の給仕がいた。当時27歳。撃沈の翌年書かれた『八阪丸の最期』（ママ）という本には巻末に「勇敢なる船員の氏名」のリストが掲載されていて、岩崎の名前も「給仕（二等用）」として登場する。[111] 同じ職種の25人で後ろから3番目に名前があることから、恐らく最若手の一人だったとみられる。岩崎は上司の命令で冷静に乗客の誘導などに当たったとして、船員に対する福利厚生を行う公益法人、日本海員掖済会から表彰されている。

だが、岩崎のドラマはこれで終わらなかった。岩崎はその後、平野丸の給仕となり、約3年後、Uボートの攻撃で210人が死亡した悲劇の船、平野丸に乗っていた。しかも30人しかいない生存者の一人だった。救恤申請書には「私は人事不省の間に、米国駆逐艦に救助され、人工（呼吸）によって蘇生した」とある。つまり、1等機関士の濱田、機関科実習生の服部らと共に、岩崎も米駆逐艦スタレットに助けられていたのだった。

2度もUボートに命を奪われそうになりながらも、いずれも命拾いした岩崎も、信じられないほど強運だったとしか言いようがない。1925年の日付が書かれた岩崎の救恤申請書の職業欄には、日本郵船の白山丸の1等給仕と記載されている。すでに第一次大戦は終わっていた

撃沈された八坂丸の大金塊引揚げ成功す
二箇月網の努力効を奏して
一擧手に入る百萬圓
日本深海工業所の大手柄

世界を驚かす
この放れ業
當年の航海日誌をたよりに
作業遂に奏功す

利益問題を
離れて
喜ばしいこと
東京海上側談

海底に沈んだ八坂丸から金貨引き揚げが成功したことを報じる記事（1925年8月9日付東京朝日新聞朝刊）

が、岩崎は悪夢のような出来事に2度も遭遇した欧州航路に舞い戻っていた。そのへこたれない姿勢と勇気には感嘆せざるを得ない。

八坂丸をめぐってはもう一つ、奇跡のような話がある。実は沈んだ八坂丸には10万ポンド相当の金貨が積まれていた。遭難から10年後の1925年8月、海底に沈んだ八坂丸から、片岡弓八の海底サルベージ会社「日本深海工業」が金貨を引き上げることに成功したのだ。

10万ポンドは日本円で現在の10億円以上の価値に相当するとみられ、回収分の8割が同社のものとなった。この金貨は実は横浜正金銀行ロンドン支店が東京に送ったもので、5000ポンドずつ20箱に入れて船と共に海底に沈んでいた。世界中のサルベージ会社が一攫千金を狙ったが、10年にわたって実現しなかった引き揚げを、熟練の日本人の潜水夫らが成功させ、世界中を驚かせたのだった。

第一次大戦中に迷彩塗装を施された平野丸（日本郵船歴史博物館提供）

八坂丸が撃沈された直後の1915年末から、日本郵船はUボートによる攻撃を受ける危険を回避するため、紅海とスエズ運河を経由して地中海を通る欧州航路のルートを、アフリカ南端の喜望峰回りに変更した。[112] 1917年2月にドイツが無制限潜水艦作戦に乗り出すと、日本の商船は自衛のため、海軍の監督の下に4・7インチ砲で武装した。

さらに、どこが船首で進路はどちらなのか、容易に判別ができないよう、複雑な幾何学模様の迷彩塗装を船体に施してカムフラージュして運航を続けた。[113] 平野丸も横浜で武装を施した上で、同年4月22日にロンドンに向けて出港したと報じられている。[114] 欧州路線の一部船舶は米国航路に転用されるなどしたが、平野丸遭難当時、日本郵船は2週に1便の欧州定期路線を維持していた。

1916年初めから2年間、日本郵船欧州定期路線の諏訪丸の事務員などとして勤務した矢島安造は、日本郵船退職者の寄稿を収録した『郵船の思い出』[115]の中で、ドイツ海軍の

Uボートの攻撃が続く中での航海について「浮流している沈没船の破片や荷物を見るたびに実にいやな気がした」「(第二次大戦時のように)飛行機の空襲がなかったにしろ、Uボートの攻撃もうけず2カ年の間安全に航海を続けたのは幸運というほかはない」と記している。

Uボートによる無制限潜水艦作戦が継続し、リスクがあったにもかかわらず、欧州航路の運航を継続したことについて、近藤社長は1916年5月の株主総会で次のように釈明している。

「欧州争乱勃発の際において、会社は欧州航路をいかにするかという問題について、政府のご内意をうかがいましたところ、政府においては危険を冒してやることであるから、会社の任意にせらるるがよろしいとのご内意を得たのであります。されば、会社は利益一点の方から考えれば、むしろ欧州航路を止めて他の有利な航路に就くのが利益であります。しかしながら、それは国家との関係上、また輸出入貿易に対し、船舶欠乏の際、なすべからざることである、会社はむしろこの危険を冒してもこの航路を維持継続することに決心を致して、このことを政府に申し出ましたが、政府においてもこの意を了とせられ、今日に至っているのであります。[116]」

さらに、平野丸事件直後の前述の1918年11月の株主総会でも同様の説明している。

「わが会社においてはその航路を廃止するや否やが一つの問題でありました。しかし、もし会社がその航路を廃せんか、欧州との交通は為に断絶し、連合国に対しても極めて作戦上不利を来しますし、また我が国貿易に取りましても然り、故に会社は意を決して時の政府にその意を致しまして危険を冒して今日までその航路を継続したのでありました。」

苦労の末に参入した欧州航路の運航を維持することに経営上の独自の判断があったことがうかがえる。近藤社長が、会社は二者択一の判断を迫られたとし、苦渋の末の決断を日本政府に伝えていることから考えると、日本政府の要請があったわけではなく、リスクを承知で運航を続けたのは会社自身の判断だったと考えられる。

そもそも欧州航路は政府から補助金を受けることを条件に運航維持を義務づけられた「命令航路」だったが、日本郵船の社内外で休止すべきだという声が何度か上がったようだ。加えて、運航を継続するならば、志願者のみで行うべきだとの意見もあったとされている。[117]

極東と欧州を結ぶ他社の欧州航路が相次いで休止する中、日本郵船が維持した欧州航路はほぼ独占的な地位を確保し、日本と欧州間の人、物の移動を維持する重要なルートとなった。戦間期の日本国内での好景気を支える一端を担ったほか、日本の国際的地位を高める観点からも

日本郵船の営業成績

	収入(万円)	利益(万円)	配当(%)	年度末所有汽船	総トン数
1913	3,403	588	10	89	381,000
1914	3,419	484	10	89	398,000
1915	4,210	773	12.5	104	444,000
1916	6,819	2,686	24	116	506,000
1917	11,604	4,850	60	105	470,000
1918	22,291	8,631	55	128	518,000
1919	21,676	5,018	50	123	533,000
1920	15,355	2,639	25	109	520,000

明治大正国勢総覧（1927年）より筆者が作成

一定の貢献をしたとも言える。

会社は1918年11月期の決算では「空前未曾有」という大きな利益を獲得し、近藤社長は株主総会で「我が社は今や世界の定期航路の覇権を握っているのでありま す」と胸を張った。実際、日本郵船の収入（売上高）は第一次大戦開戦の1914年から18年には6・5倍、利益は約18倍と急成長を遂げ、株主への配当も5・5倍に増えている。こうした好業績の陰には、平野丸を含めて5隻を失う大きな犠牲があった。

敵艦遭遇や事故の過去

平野丸は1908年（明治41年）、長崎の三菱合資会社三菱造船所、現在の三菱重工業長崎造船所で建造された。この造船所の歴史は幕末にさかのぼる。1857年（安政4年）オランダ人技師の指導でつくられた我が国初の本格的洋式工場、長崎鎔鉄所としてスタートした。官営から民間企業の経営に切り替えられることになり、1884年、郵便汽船三菱会社の経営で長崎造船所となった。当初は政府による長期貸与の形だったが、3年後に三菱に払い下げられ、1893年には三菱合資会社三菱造船所となった。

翌年に日清戦争が起きると、船腹需要が拡大、三菱造船所は次々に設備を拡充し、多数の船舶を建造した。

日本郵船は賀茂丸、平野丸、熱田丸、北野丸の欧州航路船4隻を三菱造船所に発注した。いずれも有名な神社にちなんだ名前であり、平野丸は桜の名所として知られる京都・北野の平野神社から名付けられている。

平野丸は1908年4月21日に進水、試運転を経て、12月3日に造船所で竣工式が行われた。さらに7日には、平野丸は初航海のため横浜に向けて出航した。

竣工時の総トン数は8520トン。[118] 2基のエンジンを備え、全長141・7メートル、幅17・2メートル、深さ10・5メートル、最高速力は16・4ノット。[119] 同じ時期に完成した貨客船と同程度の能力、船価だった。1等から3等船室のほか、食堂、喫煙室、談話室、娯楽室、理髪室など最新式の設備があった。フレイザー船長以外の乗組員は全員日本人で、女性客の世話をする「スチュワーデス」も乗船していた。[120] 1916年のリバプールから横浜までの運賃は1等が65ポンドで、2等44ポンド、特別3等は265円、3等は180円という値段だった。1等の運賃は現在の価値に直すと、約70万円程度だったと考えられる。

竣工式に先立つ試運転期間の11月14日、平野丸は事故を起こしている。船体を完成させるために各種装置を備え付ける艤装工事がほぼ終わり、船尾に小型ボートを付けて作業員が喫水を測定していた時だった。不用意にエンジンを動かしてスクリューを回転させてしまったため、ボートは空中にはね上げられ、ボートの船頭1人が死亡、作業員ら3人が負傷した。うち1人は片足を切断する重傷だった。

この時に現場にいた造船所のアシスタント・ドックマスターで、後に大阪の高等海員学校長を務めた横山愛吉が記録を残している。[121] 試運転を監督していた同僚のアイルランド人が、安全確保を十分に行っていないのに、機関室に対して、エンジンを動かすゴーサインを出してしまった不注意が原因だったと証言している。この事故により、横山もアイルランド人の同僚らも警察の取り調べを受けた。

平野丸は撃沈される3年前にも、ポルトガル沖でUボートに遭遇し、あわやということがあった。1915年4月4日未明、ブリッジにいたフレイザー船長が、月明かりに照らされた左舷側のはるか先の海面にUボートの姿を発見した。英当局からこの海域にはドイツのUボートが活動しているので十分注意して航行するようにと警戒を促されていたため、フレイザーは「ついに来たか」と鳥肌が立つのを感じた。

英海軍の潜水艦の可能性もあるのではないかと考え、あえて無線で船籍を尋ねたが応答はなかった。Uボートと確信したフレイザーは乗客と乗組員全員に救命胴衣を着けるよう指示すると同時に、連合軍側の艦船に無線で救助を求めながら、潜水艦からの攻撃を回避するためにジグザグ航法をとって全速で逃げた。平野丸は3時間に渡ってUボートに追いかけられたが、急に降ってきた大雨がUボートの視界を遮り、逃げ切ることに成功した。[122]

第一次大戦が終わってから、日本郵船がドイツ潜水艦による船舶被害をまとめた資料には、平野丸は1917年7月19日にも、英国東部スカボロー岬の北東約10キロの地点で、左舷の約2キロ先から魚雷による攻撃を受けたとある。この時は幸い船尾の約3メートル先を魚雷が通過して、被害を免れた。[123]

撃沈される約9カ月前にも死亡事故を起こした記録もある。1918年1月15日の早朝、リバプールに近いウェールズ北部アングルシー島の沖合で、石炭を運搬していた鋼製汽船「ヒルデナ号」（262トン、全長約36・7メートル、全幅4・1メートル）と衝突、ヒルデナ号は沈没し乗組員7人全員が死亡した。

この時、平野丸は英海軍の駆逐艦アンバスケイドが先導する護送船団に加わってリバプールに向けて航行していた。一方のヒルデナ号はマンチェスター郊外の石炭積み出し港、パーティントンから石炭を積載してアイルランド南部のウォーターフォードに向かっていた。平野丸が東に進路変更したため、ほぼ全速でヒルデナ号と衝突、ヒルデナ号の船体は真っ二つになった。ヒルデナ号は進路を変えたり、減速したりした形跡がないことから、衝突直前まで平野丸を確認できなかったようだ。平野丸やアンバスケイドが救助する間もなくヒルデナ号は沈んだ。

平野丸遭難後の1919年6月のリバプール海事裁判所の調査結果によると、衝突したのは午前6時ごろ。当時は晴れていたが、まだ薄暗かった。平野丸側は衝突約3分前、1海里ほど離れた時点で灯火を掲げたと主張したが、海事裁判所では航海日誌の記録と一致しないとして、この主張は退けられた。平野丸は無灯火だったと判断され、すでに死亡していたフレイザー船長の責任を認定、日本郵船に賠償金支払いが命じられた。[124]

豪華な食事

平野丸の船内でのサービスはどのようなものだったのか。日本郵船のホームページには「日本郵船の客船サービスは世界トップクラス、特に食事のすばらしさには定評があった。日本の洋食の源流は帝国ホテル、精養軒、そして日本郵船と評されるのは、船の厨房で鍛えられたコックが下船してその味を広めたため」とある。

1916年(大正5年)の日本郵船株式会社の「渡航案内」にも「各船の食事は長年、欧州の一流ホテルで研鑽を積んだ数人の教師に、熟練の料理人を指導させ、その調理が優良であること、また長年、各航路で腕を磨いた日本人給仕による懇切で丁寧なことは定評があり、外国人先客から常に賞賛を得ている」と記されている。[125] 日本郵船はそれだけ船内で提供される料理に強い自信を持っていた。

その料理のレベルを維持、向上させるため、1901年以降、外国人の料理教師を採用して各船に派遣したり、1908年から11年までは日本人の洋食料理人を英国で学ばせた上で、各船を回る「巡回教師」としたりする努力も続けられた。当時も、英国と日本を結ぶ長旅で、乗客を満足させ、飽きさせない、高いレベルの料理やサービスが提供されていたはずだ。

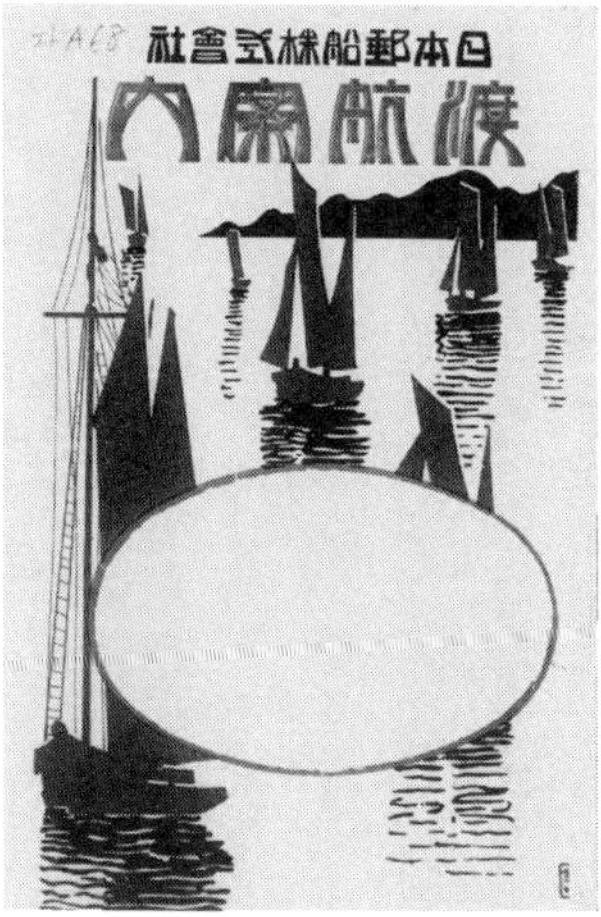

日本郵船株式会社『渡航案内』(1916年)

1899年に日本郵船が発行した『給仕用英語会話書』という日英対訳の会話集がある。時期がややずれている上、遭難当時の平野丸の実際に必ずしも即したものではないかもしれないが、それでも船内で給仕が行うサービスとして どんなものが想定されていたのかを知る手がかりにはなる。[126]

会話書は、「乗客乗船の時」「喫煙室」「食事や飲酒の時」「船酔いの時」など、それぞれに応じた例文が記載され、英文の上に発音がカタカナで振ってある。例えば、「I would like some water, please」の上に「アイ ウード ライク サム ウォーター プリーズ」と書かれ、「ドーゾ水ヲ持ツテ来テ下サイ」との訳が付いている。

巻末には単語集もあり、「Donkey-man」（小滊鑵番）とぱっと見ただけでは「補助ボイラーの担当（操鑵手）」とは分からないものや、「Hatch Cover」（艙口被）、「Organ」（風琴）などと、英語の言い回しの方が現在は通用しているものもある。

骨董品などが出品されるネットのオークションサイトで「平野丸」を検索してみたところ、古い絵はがきに混じって、興味深いものが出されているのに気がついた。平野丸船内で出されたディナーのメニューだ。扇子を持って舞を踊る着物姿の二人の女性を描いた日本画を表に、裏側にはフルコースのディナーメニューが載っている。このメニューは、日本画の右端から1センチぐらいのところが破線になっていて切り取れるようになっており、内側は手紙を書けるようになっている。切手を貼って、ちょうど日本画とメニューを合わせるようにして折りたたむと、はがきとして使える仕組みだ。

メニューには運命の日の約10カ月前、１９１７年12月2日、日曜日という日付が記され、「CAPT. H. FRASER」と船長の名前があった。フレイザー船長が1等船客をお招きする正式な晩餐なのだろう。
さてディナーはどんなものだったのか、記してみよう。

オードブル
　盛り合わせ
スープ
　コンソメプリンセス
　青トウモロコシのポタージュ
魚料理
　イワナのノルマンディー風
前菜
　子牛のバロディーヌ、エンドウ豆と
　牛ヒレ肉のロシア風冷製
　アスパラガスのムースリーヌソース
　シャポン鶏のチキンカレー
肉料理

平野丸のディナーのメニュー（裏）

羊のモモ肉のロースト、ミントソース
鶏料理
七面鳥のロースト、クランベリーソースで
野菜
ボイル&ローストポテト
サヤインゲン
サラダ
デザート

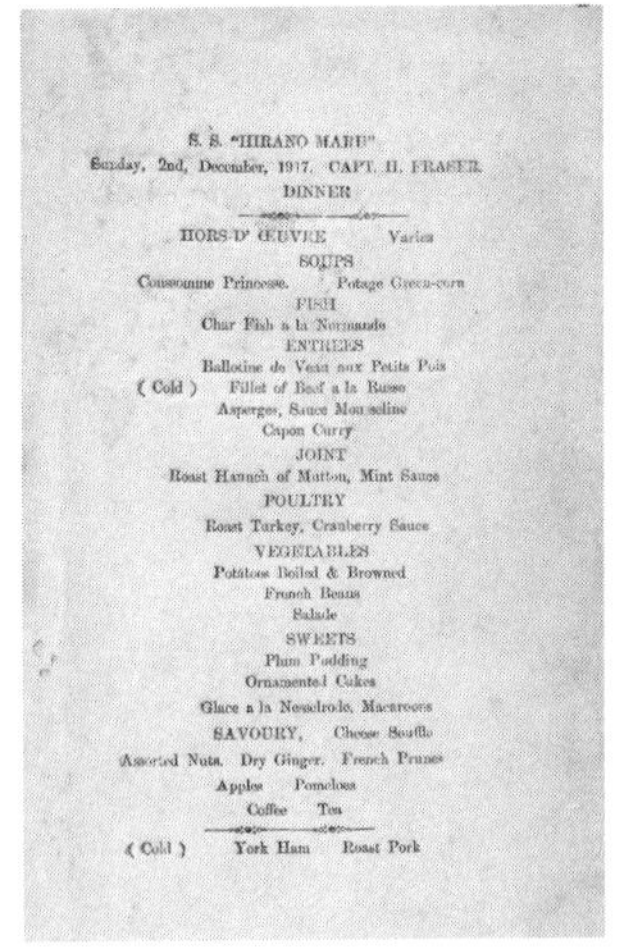

S. S. "HIRANO MARU"
Sunday, 2nd, December, 1917. CAPT. H. FRASER.
DINNER

HORS-D' ŒUVRE Varies
SOUPS
Consomme Princesse. Potage Green-corn
FISH
Char Fish a la Normande
ENTREES
Ballotine de Veau aux Petits Pois
(Cold) Fillet of Beef a la Russe
Asperges, Sauce Mousseline
Capon Curry
JOINT
Roast Haunch of Mutton, Mint Sauce
POULTRY
Roast Turkey, Cranberry Sauce
VEGETABLES
Potatoes Boiled & Browned
French Beans
Salade
SWEETS
Plum Pudding
Ornamented Cakes
Glace a la Nesselrode, Macaroons
SAVOURY, Cheese Souffle
Assorted Nuts. Dry Ginger. French Prunes
Apples Pomeloes
Coffee Tea

(Cold) York Ham Roast Pork

平野丸のディナーのメニューの表（右）と裏（左）

プラムプディング
デコレーションケーキ
ネッセルローデ風アイスクリーム、マカロン
チーズスフレ
ナッツの盛り合わせ、ドライジンジャー、フレンチプラム
リンゴ、文旦
コーヒー、紅茶

＊＊＊

（冷製）ヨークハム、ローストポーク

一見して、手の込んだ料理が並んでおり、100年前の日本の客船でもこんなものが出されていたのかと驚かされる。フードジャーナリストの知人にメニューを見てもらったところ、クリスマスを前にした12月の日曜日に出された料理で「季節にふさわしいメニュー。大変興味深い」と感想を語ってくれた。「肉料理」とあるのは、いわゆる「サンデーロースト」という英国の日曜日になくてはならない伝統料理のこと。羊のモモ肉のローストとミントソースの組み合わせはイギリス料理を思わせる。また、「ネッセルローデ風」と、ドイツの貴族で帝政ロシ

アの外相の名前を冠したアイスクリームには栗が入っていた可能性があり、これも季節にぴったりだった。リバプールを出航した平野丸の乗客には英国人や英国在住者が多かったはずで、そうした人々を楽しませる工夫が凝らされていたと言えそうだ。

日本郵船が遭難後にまとめた乗組員名簿から、こうした料理を出すために多数の料理人や給仕がいたことが分かる。厨房長の下に洋食と和食、それぞれの1等料理人、2等料理人、見習いがいたほか、ベーカーと呼ばれるパン職人までいたようだ。給仕は1等給仕だけで17人、2等給仕や3等給仕、給仕見習いまで多数が乗船していた。ほかに船医や洗濯人、掃除小使、理髪人も乗船しており、さながら海を渡る「動く豪華ホテル」のようだったに違いない。

晶子の想い載せて

平野丸に乗船したことを記録している著名人が、歌人で作家の与謝野晶子（1878～1942年）である。パリに留学していた夫、鉄幹（本名・寛、1873～1935年）を追ってフランスに渡り、1912年（大正元年）9月、フランス南部マルセイユからの帰路に平野丸を利用している。平野丸が撃沈される6年前、大戦開戦前で、喜望峰を迂回していたルートとは異なるスエズ運河経由だったころのことだ。

与謝野晶子

パリや欧州での暮らしや思い出を寛と晶子が綴ったエッセー「巴里より」には、晶子を寛がマルセイユ港で見送った際のことを記した「妻を送りて」という文章のほか、晶子自身が約40日間の船内での日々をつづった「平野丸より良人(おっと)へ」という小編も収められている。晶子の第11歌集「夏より秋へ」には、船内で詠んだ歌も含まれており、平野丸の旅がどんなものだったかも教えてくれる。

ただ、晶子はその時、精神的に相当参っており、四男アウギュストを妊娠していたこともあって、ほとんど船室に籠ったきりだった。

大阪・堺の老舗和菓子屋の家に生まれた晶子は、ロマン主義の文学運動の中心にいた寛が大阪での歌会に招かれた際に出会い、恋愛関係になった。歌の師と仰ぐ寛には妻も子供もいたが、親も故郷も捨てて、東京の寛の元に走り、22歳で結婚した。だが、寛が主宰する文芸誌『明星』が不振に陥り、廃刊になると、寛は創作に行き詰まり、失意の日々を送るようになった。それとは逆に『みだれ髪』などの成功により、歌壇で脚光を浴びるようになった晶子は、夫を鼓舞

し歌人として再起させようと、自ら資金を工面し、寛を1911年、日本郵船の熱田丸でフランスに送り出した。

夫と離れて暮らす寂しさが募る中、寛から「君もパリに来たらどうか」との手紙が届くと、晶子は翌年5月、東京・新橋駅から鉄路で敦賀に向かい、船でロシア・ウラジオストクへ、さらにシベリア経由でパリに向かった。シベリア鉄道の旅は決して快適ではなかったが、早く夫に会いたいという想いから、費用と日数を節約するための選択だった。

寛と約半年ぶりの再会を果した晶子は、芸術家の街、モンマルトルで暮らし始めた。自由な空気の溢れるパリは、見るもの、訪れる場所、全てが新鮮で、彫刻家オーギュスト・ロダンや詩人のアンリ・ド・レニエら芸術家とも交流した。[127] 晶子の生涯で、寛と過ごした欧州での日々は忘れ難いものだったに違いない。

晶子は子供たちを日本に残していた。子沢山だった夫妻は最終的に6男6女をもうけたが、その時既に7人の子供があった。[128] パリに着いてしばらくは、寛と出会った頃のような気持ちで過ごしたが、親戚に預けてきた子供たちのことを思い出し、次第に情緒不安定になった。晶子は一人で帰国することを決断した。

9月20日、二人は夜汽車でマルセイユに到着した。平野丸はロンドンからの乗客で一杯だった。積荷の都合でその夜は出港しないと聞き、寛は晶子と平野丸の船室で最後の一夜を過ごした。寛は、在フランス日本大使館の安達参事官夫妻が同じ船で帰朝することが分かると、心身共に不安定な晶子の面倒を夫妻に頼み、翌朝6時、ひとり下船し、晶子を見送った。
子供会いたさに帰国を決めた晶子だったが、下船する寛の姿を目にし、後ろ髪引かれる強い想いが募った。晶子はその気持ちを歌に詠んだ。

わが船は白き墓場となりにけり　港の端を君が踏む時
仏蘭西に君をのこして我が船の　出づる港の秋の灰色

自ら下した決断とはいえ、夫と再び別れる悲しみについて、夫が船を降りて港に一歩足を付けたその瞬間から自分が乗る平野丸は「白い墓場」になったと表現した。マルセイユの港をゆっくりと離れていく平野丸。夫の姿がだんだん小さくなっていく。港の光景は、晶子の気持ちと同様に灰色に沈んでいた。

四十度（しじゅうど）の傾斜に悩むわが船に　馬太伝（マタイ伝）読む尼のうとまし
船室の二十四時に間なく聞く　波音よりも盡（つ）きぬ恋する

マルセイユを出てしばらくすると、平野丸はしけに見舞われた。晶子は、昼食のため食堂で一緒になった日本人船客と言葉を交わすこともできないほど、船酔いに悩まされた。客室に戻って少し眠り、目覚めてみると、平野丸は二丈（約6メートル）ほども上下に揺れていた。晶子の客室より船内上部のデッキに打ち付ける波の音が聞こえた。晶子は夕食の時間にも船室を出ることができず、翌日も全く食事をとることができなかった。カトリックの修道女が聖書を読み、祈る姿さえうとましく感じられるほど体調が悪かった。

船酔いで気分がすぐれない晶子の船室に、鈴木という姓の若い女性給仕が番茶と梅干しを運んできた。故郷の母親が持たせてくれたという梅干しを届けてくれた給仕の心遣いに感謝し、うれしく思ったと記している。

晶子を乗せた平野丸は地中海を渡り、27日にエジプト・ポートサイド港に入った。安達参事官夫妻ら日本人乗客は観光のために下船した。晶子も誘われたが、気が進まずに船内に残り、土産物を売りに乗船してきたエジプト人商人から、ラクダに乗った武者などをあしらった壁掛け2枚などを購入した。夜になって船は動き始め、砂漠を両岸に見ながらスエズ運河に入った。

エジプトの灼熱に晶子は苦しんだようだ。デッキに出て波が揺らぐさまを見るのも悲しく、船室で読書に耽ったが、天井の扇風機の音がうるさく、スイッチを切ってしまった。我慢するために熱湯の中にいると思い込もうとしたものの、氷がなければ眠りにつくことはできなかった。しばらくしてインド洋に抜けると、心地よい風が吹き始め、晶子もようやく元気を取り戻した。

興味深いのは、晶子が船上で行われた運動会の様子を記していることだ。警察官として香港に赴任する英国人男性の一団が隊列を組んで行進をする姿があった。デッキに藁布団を敷き詰めて相撲大会が行われ、晶子の船室の担当だった山中という給仕が5人抜きの勝利を収めた。汚れたタオルを桶の水と石鹸で洗うスピードを競う洗濯競争もあった。

スリランカ・コロンボに到着する前夜、晶子は船内での音楽会に参加した。ピアニストの演奏が素晴らしかったので、登場した声楽家の歌が色褪せてしまったと記し、香港へ赴任する英国人警察官も代わる代わる演奏したり、歌ったりしたとも書いている。長旅の乗客を退屈させないよう、船内ではさまざまなイベントが行われていたことが分かる。

船室に戻った晶子は再び気分が悪くなり、コロンボ入港後も他の乗客のように下船せず、船室で過ごした。土産物を売りつけにくる商人から妹のために宝石を2、3個購入した。夕食は日本料理だから是非いらっしゃいと誘われ、断るのもどうかと考えた晶子は、乗船して初めて洋装で食堂に足を運んだ。メニューはマグロの刺身、魚の照り焼き、茄子の味噌田楽、冷奴、薩摩汁。満員の乗客のほとんどは英国人で、日本人はわずか7人、他はフランス人夫婦1組とドイツ人、スペイン人がそれぞれ1人ずつだった。

コロンボを出港後、10月14日の午後に事件は起きた。寝苦しい一夜を過ごし、ほとんど寝ていなかった晶子は船室に運ばれた昼食をとった後、深い眠りについた。ふと、デッキを走る多くの足音がして目が覚めた。波とは異なるポンプのような水の音。桶から水を放つ音。また火事の予行演習かと思った瞬間、安達参事官が自室に戻って、妻に「火事だ」と話す声が近くで聞こえた。

給仕の松本がやってきて「煙の匂いが気になりませんか」と尋ねた。右舷の客室から出火し、まだ少し燃えているのだという。晶子は身支度をすると、廊下に出た。辺りは水浸しだった。安達参事官が火は消えたと教えてくれた。原因は漏電で、それから2晩はろうそくの灯りで過ごさなければならなかった。ピアノも、蓄音機の音もしない、ただ波の音だけが響いていた。日本では、晶子がフランスを発つ約2カ月前の7月30日には明治天皇が亡くなり、元号も新たに「大正」と変わっていた。晶子の心には「自分は喪の国へ帰りゆくのだ」という気持ちが深く刻まれた。

秋の海われは悲しき喪の國を　さして去ぬなり大船にして

10月16日に寄港したシンガポールでは日本領事に招かれ、日本食のもてなしを受けた。シンガポールで積み込まれた数々の熱帯の果物が食卓に並び、マンゴスチンを初めて口にし、「なかなか美味しい」と感想を記している。

南国の木の実を吸へば涙おつ　昨日の恋の味に似たれば

23日には香港に入った。夫から聞いていた夜景の素晴らしさをデッキからその目で見て、あまりのまばゆさに目が眩んだ。山の斜面に建つ館の青、黄、紫などの明かりが波に映る様子は想像を超えるものだった。

四十日（よそか）ほど寝くたれ髪の我がありし　うす水色の船室を出づ

28日、晶子が乗った平野丸は神戸港に到着、翌日汽車で子供たちの待つ東京に戻った。寛が日本に戻ったのはその約4カ月後のことである。

晶子は、フランスに一人残した夫と、日本で自分の帰りを待つ子供たちへの想いの間で揺れながら、平野丸で40日の旅をした。その長さ、日本と欧州を隔てる距離は、海外に簡単に航空機で渡航できる時代の私たちには想像もできないものだ。晶子だけでなく、平野丸に乗り合わせた乗客には、それぞれの人生があり、さまざまな想いを船が運んでいた。

逃げた三毛猫

猫は船にとってゆかりの深い動物だ。ネズミが媒介するペストが船内で蔓延するのを防いだり、食料や積荷、ロープなどの船具がネズミの被害を受けないようにしたりするため、船内で猫を飼うことが古くから奨励されてきた。古代エジプト以来、船と猫にまつわる話は絶えない。

日本では特に、雄の三毛猫を飼っていると遭難しないという言い伝えがあった。そもそも雄の三毛猫が生まれるのは、染色体異常によるもので極めてまれだとされている。このため、「猫が騒げばしけになり、眠れば天気平穏」とも信じられ、特に雄の三毛猫は縁起がよいと言われてきた。海上安全の守り神ともされ、1956〜57年、第1次南極観測隊の観測船、宗谷には航海の安全を祈って、雄の三毛猫が乗せられた。

第一次大戦中には黒猫がお守りとして大人気となった。ドイツの潜水艦の攻撃による商船被害が増えるにつれて、黒猫の需要が高まった。黒猫が船から逃げると、不運が来たり、潜水艦の攻撃を受けたりすると信じられ、猫がいなくなることが恐れられていたという。

生存者の服部忠直は先に引用した回顧録で、平野丸から三毛猫が逃げ出すという不吉な出来事があったという逸話を紹介している。リバプールのマージードックに停泊していた平野丸から一匹の三毛猫が、出港前日に逃げたというのだ。

逃げ込んだ先は、別の外国船をはさんで、並んで係留されていた日本郵船の丹波丸だった。平野丸が出港してから三毛猫がいないことに気づいた洗濯係が「昨日までいた猫がいない。きっとやられるに違いない」と言ったという。米駆逐艦に奇跡的に救助され、リバプールに戻った服部は、丹波丸に乗って日本に帰国したが、その船内に平野丸の猫がいたことに驚いたと記述している。[129]

撃沈後から昭和初期ごろまでを中心に、平野丸から三毛猫が逃げたという話を紹介している本がいくつも残されている。例えば、元東京高等商船学校校長の須川邦彦（1880〜1949年）は著書『海に生きるもの』[130]で、平野丸が建造時の試運転の際に死傷事故を起こしていること、撃沈される直前にも衝突事故を起こしていることから「こういう因果関係で猫が逃げ出した、という人もあった」と書いている。いずれの事故も記録に残っている事実であるが、平野丸が初めから不吉な運命を背負っていたという印象を読む者に与える。

服部は平野丸から猫が逃げたとするエピソードを記した文章[131]に、自身や同僚、問題の猫が写った集合写真まで載せている。猫が逃げたことが偶然だったとしても、不運な出来事を運命と結びつけて考えたくなる気持ちは理解できる。

大阪商船に入社後、日露戦争に従軍、第一次大戦時には自らも船長だった須川は、平野丸が撃沈されたことに強い衝撃を受け、記憶に残っていたのではないかと想像できる。須川の『海に生きるもの』だけでなく、それ以外の文章も服部の書き残した文章と事実関係はほぼ同じである。いずれも、三毛猫が逃げたと証言している服部の文章を引用したのではないかと思われる。

猫の話が事実であろうがなかろうが、不運としか言いようがない平野丸の悲劇は、当時の人々、特に須川のような海事関係者にとって深く記憶に刻まれる出来事だったと推察される。

英語や作文の教材にも

猫の話にとどまらず、平野丸撃沈の史実そのものは昭和初期ぐらいまでは、一般に知られていたようだ。それを示す文章がいくつか残っている。

例えば、1927年（昭和2年）に出版された児童図書館叢書の『船の十日物語』には、ドイツの潜水艦に攻撃を受けて沈んだ日本郵船の欧州航路の船として、常陸丸、八坂丸、宮崎丸と並んで平野丸についても触れられている。子供向けに船の歴史や、装備などについての知識を紹介するため、1日1話形式で10話が収められている。第一次大戦中のドイツ潜水艦の攻撃による被害についても詳しい説明があり、護送船団方式の採用やルシタニア号事件なども載っている。[132]

翌年に出された『海軍と海戦の話』も小学生向けで、小学5年生の男子が仲間3人と一緒に、海軍少佐の伯父さんから海軍や第一次大戦の海戦などについて話を聴くという体裁だ。第一次大戦でのドイツによる潜水艦作戦を説明する中で、平野丸が登場している。[133]

英語の参考書で平野丸のエピソードを例文として使っているものがある。1928年発行の『英文解釈の秘訣』という本で、「あいつが戻ってくるって！」(He come home!) という英文を説明する解説の中で、事の意外さに驚いた表現であることを示すため、例えば「なに、奴さんが舞い戻ってくるって、冗談じゃない。幽霊じゃあるまいし、平野丸に乗って、ドイツの潜水艦にやられたんじゃないか」というようなケースに使う表現だと説明している。[134] このような例文として、平野丸という船の名前が普通に使われていたことは、一般にも平野丸の事件がある程度知られていたことを示すものだと言えそうだ。

「綴り方教育」を提唱した教育者、芦田恵之助(えのすけ)の著書『尋常小学綴方教授書』は、尋常小学校の教員だった芦田が1918年、3年生向けに作文を教えた際の記録をまとめた指導書である。芦田は、平野丸が遭難した直後の同年10月10日の授業で、平野丸がアイルランド沖でドイツの潜水艦に撃沈されたとの新聞記事を読んで、感想を作文に書くという課題を子供たちに出した。

「自分がその船に乗っていたと想像して書いてもよいか」と尋ねた子供の一人が「沈没の七分間」と題する、次のような作文を書いた。

「僕が朝目をさますと、とつぜんごうぜんたる大音きょうとともに、船がひどくゆれて、左の方へかたむいた。僕はなにごとかと思って、かんぱんへとびでると、早左舷かんぱんは水にひたされている。かんぱんは船員と船客などでたいへんなざっとうである。女のなきさけぶこえや、ひめいのこえで、耳がさけるようである。そのあいだにも、僕が日本にいるとき、船のちんぼつするときのことがかいてある本などを、おもしろがってよんだことを思いだした。僕はあれやこれやいろいろのことを考えて、ただぼうぜんとかんぱんに立っていた。すると一人の船員があわただしくかけてきて、僕をボートの中へなげこんでくれた。ボートはいきおいよく平野丸をはなれた。僕がボートへのりうつってから、ものの一分とたたぬうちに平野丸はびょうぼうたる大海のもくずときえてしまった。ちんぼつのあとには、ものすごいうずが、きりきりとまいていた。[135]」

新聞報道などから得た知識を基にして、この児童がイメージを膨らませて書いたものだが、芦田は「実に円熟したもの」と、その想像力に称賛の言葉を贈っている。

いずれにしても、英語の参考書や作文の課題に登場するほど、多数の犠牲者を出した平野丸の悲劇は当時の人々の心を動かしたようだ。にもかかわらず、21世紀の私たちにとって、平野丸の史実は初めて耳にするような話になった。時の流れの非情さを痛感せざるを得ない。

9 スペイン風邪の時代

死亡率のピーク

２０２０年初頭から世界中で新型コロナウイルス感染症が猛威を振るったが、平野丸が撃沈された第一次大戦中の１９１８年にも感染症の世界的な大流行があった。「スペイン風邪」と呼ばれるインフルエンザである。

全世界で当時の人口約18億人のうち、約5億人が感染し、５０００万人以上が死亡したとされている。「総力戦」と言われた第一次大戦の戦闘による軍人の死者は一般的に約１０００万人と言われているので、20世紀初頭の感染症の爆発的流行によりその何倍もの犠牲者が出たことになる。日本でも１９１８年から21年まで3回の流行で、人口約５５００万人に対して約

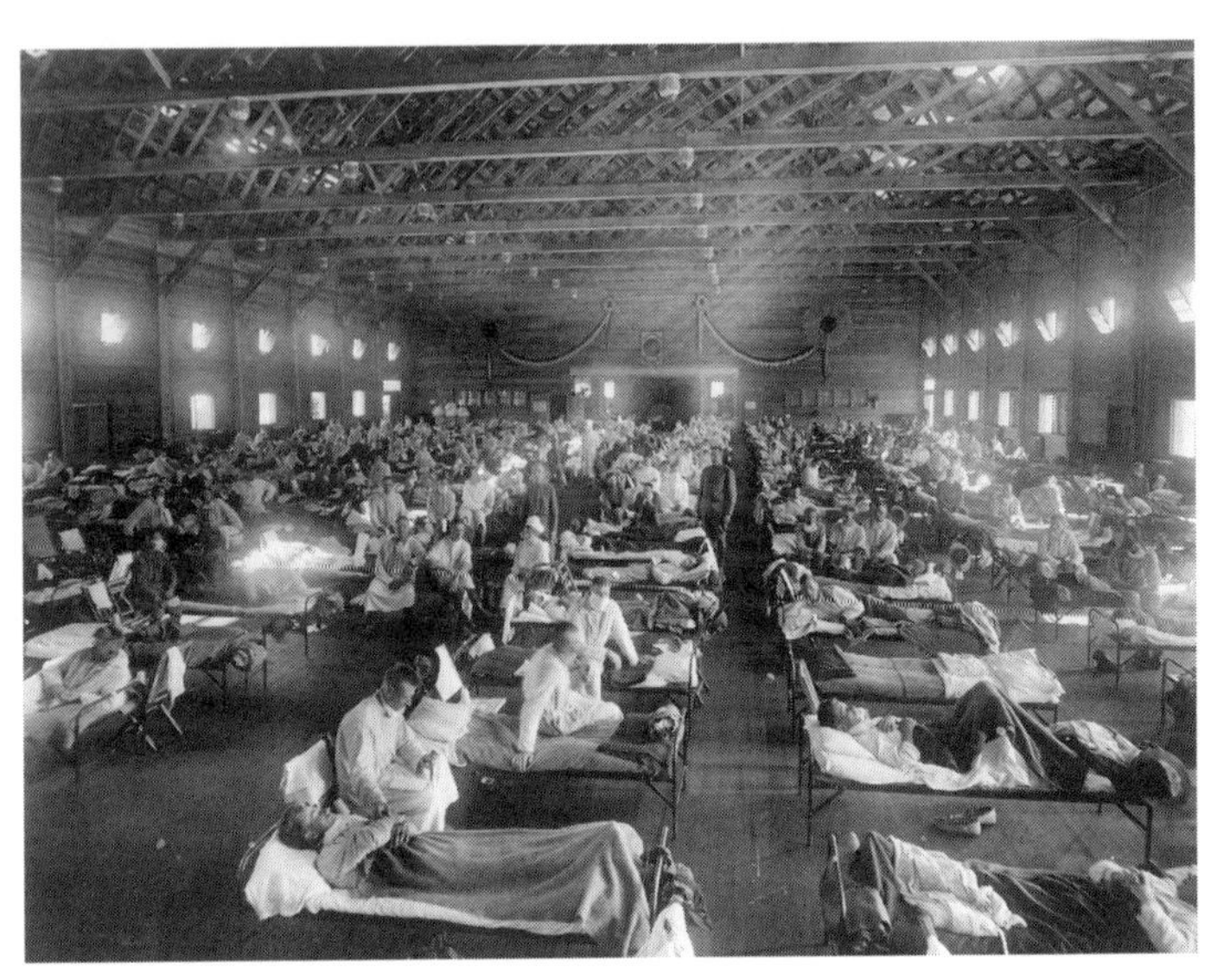

米カンザス州の軍基地でスペイン風邪の治療受ける兵士

2400万人が感染し、約39万人が死亡したとされている。

スペイン風邪という名前が付いているが、実際には最初に感染が確認されたのは、1918年3月の米国カンザス州の米軍基地だった。基地では、徴兵制により集められた若い兵士らが訓練を受けており、料理番の兵士が訴えた風邪のような症状が、瞬く間に兵士の間に拡大した。ウイルスを持った兵士らは欧州の戦線に派遣され、戦場での長期間の塹壕戦など不衛生な環境もあり、欧州各地、さらには世界中に広がっていった。感染は敵、味方を問わなかった。

当時、戦争のまっただ中にあった米国や欧州各国は、自国内での感染拡大を公式に発表しなかった。中立国スペインでの流行がいち早く世界に知れ渡ったために、スペイン風邪と呼ばれるようになった。特に、外国航路の船舶や軍艦は航行中、密室状態となることから、国際航空路線が未発達だった当時、海のルートがインフルエンザウイルスを世界中に広めたことは否定できない。

第一次大戦中、米国や旧植民地などからの兵員の動員、さらには軍事物資などの需要拡大で海運が発達したことも人の流れを活発化させ、ウイルスを広げていった。１９１８年9月に米東部を出港し、欧州に1万２０００人を運ぶ任務を負っていた米国の兵員輸送船リヴァイアサン号では約２０００人が発症したとされている。

特に、高熱や肺炎の症状が急激に現れ、壮健な兵士が次々に倒れたことから、米国では「Uボートで密かに上陸したドイツ兵が広めた」という噂まで流れたが、ドイツに対する敵愾心を煽る戦時宣伝の側面も見え隠れする。[136]

日本の軍艦では１９１８年1月、ドイツ領南洋諸島の占領作戦に従事していた巡洋艦矢矧（やはぎ）がシンガポール寄港後、マニラに着くまでの間に多数の感染者を出した。乗船者４６９人のうち、４４２人が罹患し、48人の死者を出したことが知られている。[137] 地中海に派遣された第二特務艦隊にも感染者が出ていたとみられること、１９１８年8月のシベリア出兵でも多数の罹患者が出て命を落としたことが記録されている。

多くの一次資料を用いてスペイン風邪の分析をした速水融氏の「日本を襲ったスペイン・イ

ンフルエンザ」には、英国におけるスペイン風邪第2波の流行は、1918年9月、ポーツマス、リバプールで始まったとの記述がある。

まさに平野丸の事件の直前である。スペイン風邪はフランスから英国にもたらされた可能性が高く、同書は「年単位に換算したインフルエンザによる死亡率のピークは両都市では10月5日に終わる2週間」と指摘している。平野丸がリバプールを出港したのは10月1日だったから、インフルエンザの流行のまっただ中で出港したことになる。

平野丸乗船時や船内での感染対策がどのようなものだったのかははっきりしない。ただ、出港からわずか3日後に撃沈されていることから、船内で多数の感染者が出て、乗船者に広がり、いわゆるクラスターといわれるような集団感染があった可能性は低いと思われる。

ただ、2020年2月、横浜沖に停泊した豪華クルーズ船、ダイヤモンド・プリンセス号で新型コロナの集団感染が確認されたことを私たちは知っている。具体的な史料は見つからなかったが、平野丸でも、閉ざされた船内で感染者を出さないような何らかの対策が一定程度、講じられていたのではないかと想像できる。

「スペイン風邪」という名のインフルエンザの大流行も、大規模な戦争や船舶航路の発達を通じた19世紀末から20世紀初頭のグローバル化の負の一側面と言って差し支えないだろう。人、物、金の移動が国境をまたいで世界的な規模で活発になっていた時代に、大規模な兵士の移動が行われるという戦争が重なったことが、世界中に感染を爆発的に広げることになった。

隣のページの記事

1918年10月24日付の東京朝日新聞の朝刊には、咳などの飛沫がスペイン風邪に感染する原因とし、感染者に近づかないように呼び掛ける記事が掲載されている。東京府青山師範学校[138]では全校生徒351人のうち、110人が感染した。患者の急増で東京では極度の看護師不足に陥り、地方に派遣を要請しているとも伝えられている。[139]

翌25日付の同紙には「感冒流行各地に防疫官派遣」という記事があり、隣のページに「平野丸に同情　南ア連邦総督が表明」という記事が載っている。平野丸の撃沈で多数の犠牲者が出たことについて、南アフリカ連邦総督、英国政府が「深甚なる同情の意」を表明し、駐日英国大使を通じて伝達された、とする内容だった。まさにスペイン風邪の流行と、平野丸撃沈が重なり合うタイミングだったことを新聞の紙面が証明している。

10月24日に横浜にサンフランシスコから帰港した東洋汽船の「さいべりあ丸」の船医は同紙に「最初より周到なる注意の効なく米国内地よりの乗客中、同患者あり、忽ち船内に伝播し航海中患者続発して出発以来百二十名に達し」と述べている。平野丸と同じような外国航路の船舶で、懸念されるような事態が起きていたことが報じられている。

平野丸が寄港予定だった南アフリカ・ケープタウンでもスペイン風邪が大流行していたとの報道もある。10月24日付時事新報の記事は、ケープタウンで「悪性感冒が大流行し、住民の4分の1が感染した」と伝えている。記事はさらに、ケープタウンを最近通過した日本郵船の加賀丸で「乗船者に多数の悪性感冒患者を出せり」と続けている。

平野丸が撃沈されたのは休戦協定の約1カ月前だったが、仮に平野丸がアイルランド沖でUボートと遭遇しなかったら、どうだろう。アフリカ南端の喜望峰を回りの復路は所要約70日とされているので、危険海域を無事に抜け、アフリカ大陸をぐるりと回って横浜に到着するのは、11月11日に休戦協定が結ばれた後、1919年の年明けごろになっていただろう。

ちょうど休戦協定が結ばれたころは日本でもスペイン風邪が大流行していた。横浜貿易新報には連日、スペイン風邪関連の記事が掲載されている。「悪性感冒、軍港に侵入　海陸軍にも罹病者多し」(10月27日)、「四万人の小学生中、五千人は風引き」(10月30日)、「感冒、益々猖獗(しょうけつ)各校愈々(いよいよ)休校　患者二千五百」(11月3日)、文芸評論家で演出家、劇作家の島村抱月が11月5日、スペイン風邪のため死去したことも翌日の新聞に大きく載っている。

与謝野晶子は11月10日の横浜貿易新報に「感冒の床から」との一文を寄せている。晶子は当時、子供が10人いたが、小学生の息子を皮切りに、2人以外家族全員がスペイン風邪にかかってしまったとした上で「政府はなぜいち早くこの危険を防止する為に、大呉服店、学校、興行物、大工場、大展覧会等、多くの人間の密集する場所の一時的休業を命じなかったのでしょうか」と政府の対策の遅れを厳しく批判している。

日本では2020年春から新型コロナウイルス感染が拡大し、自治体による飲食店などへの休業要請が広がったことを思い起こさせるエピソードだ。

10

記憶を紡ぐ

錨と綱、菊の紋章

2023年8月、私はお盆の休みを利用して英国を再訪した。目的は二つあった。場所を突き止めたフレイザー船長の墓を訪れること、アングルを再訪し、平野丸の慰霊碑に再び祈りを捧げ、大越四郎の霊に遺族との面会について報告することだった。コロナ禍でしばらくできなかった海外渡航も容易になり、休暇が取れるこのタイミングを逃すわけにはいかないとの思いで一杯だった。

早朝にロンドンに到着してすぐに向かったのは、観光名所のロンドン塔のすぐ隣にあるタワー・ヒル・メモリアルだった。第一次大戦と第二次大戦中に戦争で命を落とした商船の船員らの名前を刻んだ慰霊碑があり、その中にフレイザーの名前があるはずだった。数々の戦争で多くの兵士が死亡した英国では、インターネットで検索できる戦没者のデータベースが整備されており、フレイザーについても事前に情報を得ることができた。

フレイザーの名前がタワー・ヒル・メモリアルに登録されたのはごく最近の2015年のことだ。それまで名前がなかった理由は定かではないが、乗っていたのが日本船だったこと、死亡したのが英領海内ではなかったとみられることなどが推察される。ただ、いずれも同様のケースで名前が刻まれている船員もおり、フレイザーが除外されていることは合理的ではなかった。フレイザーのひ孫に当たる女性が、曾祖父の情報を求めて、スコットランドの戦史研究家らでつくるグループのウェブサイトに投稿したことがきっかけに、このグループの訴えで新たに名前が入れられた。商船乗組員の戦没者として正式に認められたのだった。

タワー・ヒル・メモリアルの石造りの黒い壁に船と乗組員の名前がずらりと並んでいた。中には有名なルシタニア号の名前もあった。膨大な数の名前をたどった末、ようやく3メートルほどの一番高いところに、「Hirano Maru Tokyo / Fraser H. Master」との名前を見つけた。並んだ名前が途切れている最後の場所に近く、最近加えられたことが一目瞭然だった。

翌日訪れたロンドン郊外のヒルズ・ベル墓地は、ロンドン地下鉄ノーザンラインの終点、ハイバーネット駅の近くにあった。地下鉄駅からバスを乗り継ぎ、住宅地を歩いて抜けると、芝生の中に墓石が並んでいるのが見えた。

英国の戦没者墓地の写真を集めている団体からあらかじめ入手していた写真を手掛かりに、フレイザーの墓を探した。それには他にはない、一目で分かる特徴があった。海に生きた人生を表すように、十字架に錨と綱があしらわれていることだった。これならば簡単に見つかるは

タワー・ヒル・メモリアルに刻まれたフレイザー船長の名前

ロンドン郊外のヒルズ・ベル墓地にあるフレイザー船長の墓

ずと高をくくっていたが、1時間ほど広い墓地を何度も歩き回って、ようやく見つけたのは、足も踏み場のないほど雑草が生い茂った、一番奥まった木立の中だった。比較的新しい時代の墓石の周りがきれいな芝生だったのとは異なり、久しく訪れる人もなく、手入れもされていないことが明白だった。

やわらかな陽光が降り注ぐ中、聞こえるのは小鳥のさえずりと、木の葉が風に揺れる音だけだった。平野丸と運命を共にしたフレイザーの遺骨や遺体が収められているはずはなかったが、私は祈りを捧げ、心の中で「初めまして」と語りかけた。平野丸の悲劇に人生を翻弄された人々をずっと追いかけてきたが、その中でも船長のフレイザーに会うことができたように感じ、感無量だった。

碑には、「アイルランド南方沖で敵の潜水艦に撃沈された平野丸の船長、享年62」と英語で明記され、「もはや海はなくなった」という新約聖書、ヨハネ黙示録21章1節の言葉が引用されていた。フレイザーが船乗りだったことからこの聖句を引用したと考えられる。

さらに、平野丸事件の前年、1917年5月3日、西部戦線のフランスのモンシー・ルプリューで、24歳で戦死した息子ドナルド、1947年8月に86歳で死去した妻のエリザベスの名前も刻まれていた。[140]

墓地を離れようと、改めてフレイザーの墓に向き合って一礼し、もう一度よく見ると、気づいたことがあった。墓石の十字架の真ん中に、菊の紋章があしらってあることだった。外国人船長として長く日本郵船に勤務し、大日本帝国から叙勲まで受けたことをフレイザーが誇りに感じていたのだろう、少なくとも、遺族がその思いを汲んで、こうしたデザインにしたに違いなかった。日本の船のかじを取っていた英国人船長の墓に、菊の紋があるのは平野丸のストーリーを象徴するかのように感じた。

5年ぶりの再訪

翌週、私は列車でウェールズに向かった。5年ぶりにジェームズさんとの再開を果たし、慰霊碑を再訪するためだ。大気は良好、前の週まで天候不順で雨が続いていたというのが嘘のように晴れていた。イングランド西部ブリストルで、車で来てくれた加藤さんと合流した。途中、平野丸を撃沈したUボート、UB91の機銃が残されているチェプストウに立ち寄った後、一路、ウェールズを目指した。

アングルに一番近い場所に住む日本人である大前典子さんに事前に、現地での宿泊先を相談したところ、自宅の別棟を改装して民泊サービスを営んでいるので、「是非使ってください」との申し出があり、ありがたくお世話になることにした。ペンブロークシャーは英国西部に位置するウェールズでも最も西にあり、車なしでは移動が困難だった。チェプストウから大前さん宅に付いたころには夕方になっていた。東京からロンドンに飛び、鉄道と車でようやく目的地に近いところまでたどり着いた。5年前に祖父を弔うために、東京からわざわざ慰霊碑の除幕式に駆け付けた中村良子さんの苦労と勇気を改めて痛感した。

事前の連絡で、ジェームズさんからは膝が悪く、起伏があって歩きにくいアングルの墓地に同行することは難しいと伝えられていた。それを知った大前さんが、近くのパブでジェームズさんご夫妻も招いて食事をしましょうと誘ってくれた。

中世の城を望む場所にある素敵なパブで、ジェームズさんご夫妻が待っていた。5年ぶりの再会だった。85歳になっていたジェームズさんは松葉づえをついていた。少し痩せ、年を取ったように見えた。椅子に座ったり、立ち上がったりする際に膝に激痛が走るようで、介助が必要だった。

ひさしぶりの再開をとても喜んでくれたジェームズさんは夕食の席で、5年前の慰霊式の思い出や、東京から中村さんが駆けつけてくれたことがどれほど嬉しかったかを一気に話した。私は、大越家の皆さんと出会いやロンドン郊外のフレイザー船長の墓を訪れたことなどを報告し、今回のアングル訪問でもジェームズさんが全ての関係者に事前に連絡を入れてくれていたことに改めてお礼を伝えた。「平野丸に同じように興味を持った同士だからね」と、ジェームズさんは笑顔を見せた。

翌日、大前さん、夫のマイケルさん、加藤さんの4人でアングルの慰霊碑を訪れた。大前さんがご自宅の庭の花を用意してくださり、意図していたようなお盆の墓参りを実現することができた。

私は慰霊碑に手を合わせ、大越四郎の霊に「ご親族とお会いすることができました」と心の中で呼びかけた。5年の歳月と、1万キロの距離を隔てて、自分が行ったり来たり墓参りを繰り返していることが急におかしく思えてきた。同時に、平野丸の調査がここまでたどり着いたことに対する満足感で一杯だった。

大前さんの知人のご夫妻と、日本人女性を妻に持つその息子、孫娘の4人も慰霊碑への墓参に加わってくれた。100年前に戦争の犠牲になった日本人らがアングルの地に埋葬されていることを知り、「こんな歴史があったなんて知らなかった」と驚いた様子だった。

午後、ペンブロークドック市内でもう一度、ジェームズさんご夫妻と会い、お別れの挨拶をした。次にいつ会うことができるかは分からない。ジェームズさんの気さくで気取らない、そして自分が成し遂げたことについても謙虚さを忘れない、その人柄を胸に刻んで、軽くハグをした。

彼らを忘れない

平野丸の慰霊碑を建てたジェームズさんは最初に会った時、「なぜ」という私の問いに、戦没者を追悼する毎年11月のリメンブランス・サンデーに自ら誓いを立てている「We will remember them」（彼らを記憶し、忘れない）という言葉を実践しているのだと説明した。

その言葉は、英国の詩人ローレンス・ビニョン（1869〜1943年）の有名な詩「For the Fallen」（倒れた者のために）の一節だ。リメンブランス・サンデーの戦没者慰霊式典で必ず読み上げられ、参列者は最後の一節を唱和する。英国でこの一節は、死者のことを記憶にとどめる、鎮魂と祈りを象徴する言葉なのだった。犠牲者を記憶にとどめ、忘れない。それが彼らを悼むことなのだという強い思いがジェームズさんにはあった。

They shall grow not old, as we that are left grow old:
Age shall not weary them, nor the years condemn.
At the going down of the sun and in the morning
We will remember them.

彼らは、われわれが歳をとるように、老いることはない。
歳月は彼らを疲れさせはしない、やつれさせることもない。
陽が沈む時、そして朝に、われわれは彼らを思い出す。

ビニョンはこの詩を、1914年の第一次大戦開戦から間もない時期に、英国南西部コーンウォール半島の海辺で書いた。アングルがあるペンブローク半島からブリストル海峡を挟んで南に位置する場所だ。ビニョンが見ていた光景は平野丸が沈んだのと同じ海だった。[141]

ローレンス・ビニョン

人間の記憶は風化し、失われるものだ。アングルの教会に建てられた木の墓標が長い年月の経過の中で、いつしか失われてしまったように、花を手向け続けたレスリー・リースロイドさんの存在は、人々の記憶から消えてしまっていた。それは、大越四郎の故郷に大きな石の慰霊碑が残されていたにも関わらず、親族でさえ四郎の記憶が薄れてしまっていたこととも重なることだ。

100年という節目の年に、平野丸の史実を掘り起こしたジェームズさんの行為は、記憶をよみがえらせ、新たに後世に伝えていく試みとして、大きな価値を持つ。ジェームズさんが何度も口にした「We will remember them」という詩の一節の「彼ら」とは、ジェームズさんにとっては、埋葬された犠牲者の人たちを示す言葉だったかもしれない。

しかし、私はこの言葉を、同胞の犠牲者だけでなく、漂着した遺体を引き揚げ、丁寧に埋葬し、さらに100年を経て、新たなに慰霊碑を建ててくれた英国の人々の善意、厚情を忘れないとの誓いにしたいと思う。同時に、日本から遠い欧州の冷たい海で、休戦のわずか1カ月前に罪のない多数の人たちの命が奪われた戦争の悲劇についても記憶にとどめたい。

平野丸が撃沈された当時、第一次大戦は多くの日本人にとって「欧州というはるか彼方での戦争」だった。とりわけ、日本国内ではまさにその戦争のため、バブル景気を享受し、経済が大きく発展した。それにより、世界の主要国となる道を歩んでいた分、平野丸の人々のような日本の民間人も戦争のために命を落としたことはあまり意識されることはなかった。日本はその後、軍国主義の道を歩み、国民のほとんどが新たな世界戦争に人生を翻弄された。

私たち日本人にとってより身近なはずの第二次大戦についてさえ、原爆被害、加害と被害の両方を含めた戦争体験、戦争の記憶をいかに若い世代に伝承し、それを継承していくかが喫緊の課題になっている。

ジェームズさんは、地元の学校などで平野丸の悲劇について講演をしてきた。ソンムの戦い、ヴェルダンの戦い、マルヌの戦い、タンネンベルクの戦いなど第一次大戦の著名な戦いと異なり、地元ではほそぼそと語り継がれていた平野丸の史実を、若い世代では知らない人も多い。

ジェームズさん自身は軍隊で実際に戦闘任務には就いたことはなく、1発の銃弾も発射することはなかったが、戦争を繰り返してはならないという強い思いを持っていた。地元で平野丸の史実を語ることについて「過去を振り返れば振り返るほど、未来を見通すことができる、という言葉もある。同じ戦争の過ちを二度と犯さないよう、伝えていくことが大切だよ」と強調した。

大越四郎の親族の一人、義和さんは、四郎らの慰霊碑を建てる計画を始めたジェームズさんについて「戦争犠牲者を大事に扱わなければならないという気持ちの根底には、平和を望む強い思いがあるのだろう。英国にいる立派な人たちのこと、その平和への思いを自分たちも子供や孫たちにも伝えていきたい」と語った。ジェームズさんの平和のメッセージは、日本の人たちにもしっかり伝わった。

その意味で、アングルに立てられた慰霊碑は、100年前に不幸にして命を落とした人々を弔うものだけではなく、ウェールズの田舎に住む市井の人、ジェームズさんが成し遂げた大きな偉業についての記念碑でもあるように思えるのだ。

11 おわりに

ロンドン駐在中の2018年、『ロード・オブ・ザ・リング』3部作で知られるピーター・ジャクソン監督のドキュメンタリー映画『彼らは生きていた』（原題：They Shall Not Grow Old）[142]の制作発表を取材した。第一次大戦終結から100年となるのを記念して制作された作品だ。基になったのは、ロンドンの帝国戦争博物館が保存する西部戦線での貴重なモノクロ映像だ。劣化した貴重な映像を修復、最新のデジタル技術を使って鮮明にし、カラー着色を施した上、音声も加えて編集した。大戦当時、映像と音声を記録する技術がなかったため、撮影された映像には音声が付いていなかった。BBCが所蔵する退役軍人のインタビュー音声をナレーションとして合わせた。

2020年に本作が日本で公開された時も映画館に足を運んだが、セピア色の白黒の映像に記録された遠い昔の兵士たちの姿が、カラー映像によってあたかも同時代に生きる人のように生き生きと描かれていることに衝撃を受けた。欧州戦線で泥まみれになって戦う歩兵たち。激しい砲撃、つかの間の休息、戦死した仲間を埋葬する兵士たち。100年前の映像が突然、生々しい臨場感とひりひりするような緊迫感を持って再現され、現代に生きる私たちと同じ、一人一人の人間の物語として胸にぐっと迫ってきた。

歴史に埋もれていた平野丸の史実と、それに関わった人々のことを記録することは、ある意味で『彼らは生きていた』というドキュメンタリー映画制作のような作業だったと思い返している。実際に何があったのか、犠牲者たちはどのような人たちだったのか。

240人のうち210人が犠牲になった、その数字の向こうにはそれぞれの人生があった。ジェームズさんが語ったように、平野丸の乗船者たちには首を長くしてその帰りを待つ妻、子供、両親たちがいた。自分たちもどれだけ家族や友人との再会を楽しみにしていただろう。

彼らの人生をよみがえらせるため、ジグソーパズルのピースを一つ一つ埋めていくように、取材や調査を続けた。ただ、いまだ埋まらないピースは多く、分からないこと、疑問が解けないことも多い。100年前に、遠く英国沖での海難事故で祖先が遭った悲惨な事件について、記憶や記録を持っている人を探すことは容易ではなかった。

平野丸の乗客や乗組員のうち、ご遺族に直接お会いし、故人について詳細な話を聴くことができたのは、山本主計少監の孫、中村さんと大越四郎の親族の方々などわずかだった。その意味で、ジェームズさんと中村さん、大越家の方々をつなぐことができたのは奇跡的だったと言えるのではないか。中村さんが伯母から受け継いだ祖父のアルバムを大事に保存し、自身のルーツに強い関心を持っていたこと、大越家でも古い写真を大切に保管していたことが大きな手がかりになった。

平野丸の悲劇から100年に当たる2018年は、明治維新から150年の節目でもあった。日本は幕末から明治の近代化の時期に、英国から多くを学んだ。薩摩藩は1860年代、五代友厚ら留学生19人を派遣し、留学生らはロンドンのユニバーシティ・カレッジ・ロンドン(UCL)で学んだほか、「長州ファイブ」として知られる伊藤博文や井上馨ら長州藩の若者5人もUCLで勉学に励んだ。ロンドンでも関連したシンポジウムなどが開催された。

日英関係は今、新たな時代を迎えている。国際情勢の激変に伴い、日英両国は共にお互いを必要とする状況が生まれている。特に2020年1月に欧州連合(EU)から離脱し、「EUの主要国」としての地位を捨てた英国は新たな外交指針として、「グローバルブリテン」を合い言葉、スローガンに採用した。

距離的に近い大陸の欧州諸国とは適切な関係を維持しつつも、英国は欧州を越えて、広い世界に目を向けて多角的な外交・安全保障政策を展開するという意思表明だ。そして、その英国の視野に入っている国や地域の一つが、日本である。地理的には遠く離れた国ながら、自由や民主主義、法の支配という価値観を共有し、世界有数の経済大国である日本について、英国は「戦略的なパートナー」と位置付け、関係強化を図ろうとしている。

外交の基軸を日米関係に置き、近隣の中国や韓国、北朝鮮など東アジアの国との平和的で安定した関係構築を目指す日本にとっても、国連安全保障理事会の常任理事国で、G7の主要メンバーでもある英国との関係強化には利益がある。特に、人口減少や高齢化で経済成長にも限界がみえ、国力衰退が懸念される我が国にとって、大英帝国時代のような権勢を失いつつも「ソフトパワー大国」としてグローバルな影響力を維持している英国の経験、したたかさには学ぶところが多い。

平野丸が撃沈されたのは日英同盟の時代だったが、皇室と王室の友好関係は別にして、日英両国の政府レベルでは、休戦後も見通した国際秩序をにらんだ複雑な列強のパワーバランスの中で、必ずしも最良の時期とは言えなかった。

だが、政府間の関係や、両国を取り巻く国際情勢がどうあれ、ロンドンからも遠く離れたウェールズの片田舎に、当時も、そして現在も、純粋で善意に溢れた人々がいた。その伝統が今も受け継がれていることを心に刻みたい。新しい時代に向けた日英関係の底流には、平野丸の事件が起きた時代や、それ以前からの人々の交流の長い歴史があり、外交、王室と皇室、経済、安全保障、文化などさまざまなレベルでの重層的な関係の蓄積があることを改めて思い起こしたい。

ジェームズさんの住まいに近いウェールズの港町、ペンブロークドックは、かつて海軍工廠の町として栄えた。日露戦争時に連合艦隊司令長官として日本海海戦を勝利に導き、「東洋のネルソン」と呼ばれた東郷平八郎が英国留学時に一時暮らした地でもあった。日本政府は1875年、軍艦(コルベット)初代比叡の建造をペンブロークドックの造船会社に発注し、東郷ら海軍の留学生が試運転の立ち会いや日本への回航の任務を務めた。2年後に比叡の進水式が行われた際に、当時の駐英公使、上野景範(かげのり)が軍艦建造への地元の協力に対する感謝の意を示すため、イチョウの苗木を寄贈し、東郷が宿舎としていた英海軍士官宅の庭に植えられたと伝えられている。苗木は見事に育ち、地元では「東郷のイチョウ」として知られるようになった。

ジェームズさんは、イチョウから挿木で苗を育て、日英友好のシンボルとして、日本に送ることを発案、ウェールズ在住の日本人や日本郵船などの協力で、2019年12月に実現させた。苗木は東郷の出身地、鹿児島市や旧日本海軍の軍港があった広島県呉市や京都府舞鶴市といった東郷ゆかりの地に送られ、植樹された。

平野丸の史実に出会ったのは、ロンドン在任中に知り合ったジャーナリストの加藤節雄さんから、2017年に「面白い話があるんだけれど」と耳打ちされたことがきっかけだった。ロンドンで過ごした3年間は、英国のEU離脱の取材と原稿に追われる毎日だった。帰国から約1年後に社内で編集とは別の担当となり、仕事の合間を縫って資料探しや取材、執筆をすることになった。記憶が鮮明なうちにまとまった形として平野丸の取材を記録として残しておきたいと思いながらも、怠惰な性格から気がつくと5年が経っていた。それでもなんとか形にすることができたのは、取材を一緒にしながら、励まし続けてくれた加藤さん、デービッド・ジェームズさん、中村良子さん、大越家の皆さん、日本郵船の関係者など取材に応じてくださった皆さんのご協力があったからに他ならない。心よりお礼を申し上げる。

平野丸犠牲者の慰霊碑建立や「イチョウプロジェクト」を通じて日英交渉に尽力した功績から、ジェームズさんは2019年12月に長嶺安政駐英大使（当時）から「在外公館長表彰」を受けた。加藤さんも同じ年、長年の日英交流への貢献から大英帝国勲章5等勲爵士（MBE）を受賞された。改めてこの機会に心からのお祝いを申し上げたい。

横浜県立歴史博物館の学芸員、武田周一郎さんには氏家洗耳や青木喬が勤務していた横浜正金銀行についてご教示いただいた。大垣市立牧田小学校の校長渡邊友三郎さんと高桐秀夫さんは、氏家洗耳についての調査にご協力くださった。友人のフードジャーナリスト、仲山今日子さんには平野丸のメニューについてコメントをいただいた。厚くお礼を申し上げる。出版の機会を与えてくださった五月書房新社の杉原修さん、片岡力さんにも感謝申し上げる。

在英国日本大使館の広報担当公使として公私共にお世話になり、慰霊碑除幕式にも出席された外務省の飯田慎一さんは、2021年10月、急病のため54歳の若さで亡くなられた。飯田さんのお名前を記し、ご冥福をお祈りする。

2023年12月

島崎 淳

年表　平野丸事件の歴史

	平野丸の出来事	第一次世界大戦の出来事	日本外交、政治の出来事
1902年1月			日英同盟締結
1904年2月			日露戦争開戦
1905年9月			ポーツマス条約調印
1907年			日仏協約、日露協約
1908年4月21日	**長崎造船所で進水式**		
11月14日	**喫水測定中の作業員4人がスクリューに巻き込まれて死傷**		
12月16日	**初航海のため横浜を出港**		
1912年9月21日	**与謝野晶子、フランスから平野丸で帰国の途に**		
1914年6月28日		サラエボでオーストリア・ハンガリー帝国の皇位継承者夫妻がセルビア人青年に射殺される	
7月28日		オーストリアがセルビアに宣戦布告。第一次世界大戦勃発	
8月1日		ドイツがロシアに宣戦布告	
8月3日		ドイツがフランスに宣戦布告	
8月4日		英国がドイツに宣戦布告	

8月8日			大隈内閣が臨時閣議で参戦決定
8月15日			日本がドイツに最後通牒
8月23日			日本がドイツに宣戦布告、大戦に参戦
9月2日			山東半島に日本軍上陸
9月末～10月			ドイツ領南洋諸島を占領
11月7日			日本軍が青島占領
1915年1月18日			対華21カ条要求
2月18日		ドイツ軍が無制限潜水艦作戦	
4月4日	**ポルトガル沖で潜水艦に追跡される**		
4月22日		ドイツ軍がベルギー・イーペルで塩素ガス使用	
5月7日		ルシタニア号、アイルランド沖で撃沈	
1916年5月31日～6月1日		ユトランド沖海戦	
2～12月		ヴェルダンの戦い	

7～11月		ソンムの戦い	
1917年1月11日			英国が地中海への日本軍艦派遣要請
2月1日		ドイツ、無制限潜水艦作戦を再開	
2月10日			閣議で地中海派遣を決定
2月18日			第二特務艦隊出発
3月		ロシアの「二月革命」で帝政崩壊	
4月6日		米国がドイツに宣戦布告、参戦	
4月	**武装改修終了**		
7月19日	**ドイツ潜水艦により魚雷攻撃受ける**		
11月		「十月革命」でボリシェビキが政権掌握	
1918年1月14日		ウィルソン米大統領が「平和原則十四カ条」発表	
1月15日	**英国沖で石炭運搬船ヒルデナ号と衝突**		
3月3日		ドイツ・ロシア革命政権講和。ブレスト・リトフスク条約	
7～9月			米騒動

8月12日			日本軍がウラジオストク上陸（シベリア出兵）
9月28日		ドイツ軍参謀本部次長ルーデンドルフが皇帝に休戦進言	
9月29日			原敬内閣発足（初の政党内閣）
10月1日	**リバプールを出港**		
10月3日		ドイツ皇帝がマックスを新首相に任命	
10月4日	**アイルランド沖でドイツの潜水艦UB91に撃沈される**	マックスがウィルソンに休戦協定交渉提案の覚書	
11月9日		ドイツで革命	
11月11日		休戦協定調印	
12月24日	**生存者の乗組員19人帰国**		
1919年1月18日		第1回パリ講和会議	
2月4日	**横浜・鶴見の総持寺で追悼会**		
6月28日		ベルサイユ条約調印	
10月	**日本郵船が總持寺に慰霊碑建立**		
1920年1月10日		ベルサイユ条約発効、国際連盟発足	
1921年3〜9月			皇太子（後の昭和天皇）が訪欧
1923年8月17日			日英同盟失効

注

1　英軍兵士らの情報を集めたサイト「Forces War Records」にある「Uk, Far East Prisoners of War, 1902-1946」には5万7000人以上のリストがある。

2　デールの墓地には、1918年10月4日から29日の間に漂着した平野丸の犠牲者とみられる身元不明の8遺体が埋葬されており、地元住民が十字架をかたどった慰霊碑を建てた。https://ww1.wales/pembrokeshire-memorials/dale-war-memorial/

3　「追悼の多文化主義とナショナリズム――イギリスの事例を中心に」（第53回宗教法学会2006年11月11日、早稲田大学）粟津賢太、宗教法＝The Religious Law：宗教法学会誌／宗教法学会編（26）2007年

4　Freshwater West memorial for sunken WWII vessels, BBCNews, 2013年4月25日

5　青森県大間町の公式ホームページ（http://town.ooma.lg.jp）より

6　『船長藤田徹――明治・大正・昭和を生きた船乗りの遺した記録』藤田操、中央公論事業出版、2016年

7　「平野丸遭難顛末」平野丸一等機関士 濱田一馬、『逓信協会雑誌』3月（129）、逓信協会、1919-03. 国立国会図書館デジタルコレクション https://dl.ndl.go.jp/pid/2776430

8　時事新報、1918年10月8日付

9　「あれから五十年」服部忠直、『海洋』第655号、1969年1月

10　服部の回顧録と、濱田一等機関士の「平野丸海難顛末」による。

11　服部は自分が機関室日誌（ログブック）をつかんで機関室を離れたと書いているが、濱田も日誌を持って最後に機関室を去ったと振り返っている。服部はまだ機関士見習いだったこと、その時間帯の当直の責任者は濱田であることから、濱田の証言の方が信ぴょう性は高いと考えられる。

12　米海軍遣欧部隊司令官シムズ中将によるダニエルズ海軍長官宛ての報告書。https://www.history.navy.mil/research/publications/documentary-histor es/wwi/october-1918/vice-admiral-william-6.html

13　「出張員（4）」JACAR（アジア歴史資料センター）Ref.C08021197000　大正7年「公文備考」巻82　人事3（防衛省防衛研究所）

14　スタレット報告書によると、救助した35人のうち、6人がその後死亡したとすると、生存者は29人となるが、日本郵船の公式記録や生存者の証言などでは、生存者は30人と記録されており、この差がどうして生じたのかは不明だ。

15　1918年10月11日付アイリッシュ・イグザミナー紙に掲載された英国内通信社「プレス・アソシエーション」（PA通信）の記事。

16　大関少佐は海軍兵学校32期で、藪正毅少佐の同期だった。

17　読売新聞、1918年10月12日付朝刊

18　『船員のための低体温症対策ガイドブック』一般財団法人海技振興センター、2017年

19　『世界の動き』長岡隆一郎、日本評論社、1928年

20　「3．平野丸遭難ノ件」JACAR（アジア歴史資料センター）Ref.B08090123700、欧州戦争関係書類仮綴／雑件ノ部（5-2-18-0-71_8）（外務省外交史料館）

21　『海軍の外交官　竹下勇日記』波多野勝、黒沢文貴、斉藤聖二編、芙蓉書房出版、1998年

22 正確にはリバプール西トックステス選挙区
23 『東伏見宮依仁親王殿下大正七年欽命御渡欧日記』、南郷次郎編、東伏見宮家、1921年、国立国会図書館デジタルコレクション https://dl.ndl.go.jp/pid/965667
24 東京朝日新聞、1918年10月9日朝刊
25 『寺田久信』寺田久信伝記編纂委員会編、1965年
26 読売新聞神奈川県版、1939年9月5日付朝刊
27 『日英新誌』4(36)、日英新誌社、1918-11. 国立国会図書館デジタルコレクション https://dl.ndl.go.jp/pid/1574439
28 『敢然頂角を往く』二荒芳徳、実業之日本社、1929年、国立国会図書館デジタルコレクション https://dl.ndl.go.jp/pid/1268566
29 「社会教育に就て」文部省社会教育課長 乗杉嘉壽、仏教聯合会編『講習会講演集』第4回、鴻盟社、1921—22年、国立国会図書館デジタルコレクション https://dl.ndl.go.jp/pid/971078
30 『過ぎ来し跡』笹村吉郎、1934年、国立国会図書館デジタルコレクション https://dl.ndl.go.jp/pid/1052918
31 レンスター(Leinster)はアイルランド東部の地方の名前である。
32 アイリッシュ・インデペンデント紙、1918年10月15日付
33 ベルファスト・ニューズレター紙(ベルファストは現在の英領北アイルランド)、1918年10月14日付
34 東京朝日新聞、1918年12月29日付朝刊
35 読売新聞、1918年12月30日付朝刊
36 山本新太郎の生い立ち、経歴などについては、『ベトナムに消えた兄』(山本ませ子、西田書店、1999年)や中村良

子さんへの取材による。

37 日本初の官立の高等商業学校であり、この東京高等商業学校が母体となって1920年に東京商業大学が設立される。東京商業大学は現在の一橋大学の前身である。

38 山本新太郎の遭難時の階級は「主計少監」だったが、公務中の被害で殉職したため死亡の日付で「主計中監」に特進した。これらはそれぞれ「少佐」「中佐」に相当する階級である。藪正毅少佐も同じく中佐になっている。

39 後の連合艦隊司令長官、山本五十六元帥はこのころ、海軍経理学校の教官を務めていた時期がある。

40 日本陸海軍総合事典、秦郁彦編、東京大学出版会、2005年

41 出港時の年齢。

42 山本と一緒に欧州視察に出た西機関中佐は平野丸事件の翌19年4月27日、横浜に帰還している。同年5月1日付の報知新聞は、西が英国での戦時工業動員の状況を視察し、女性が大砲や砲弾の製造に当たっている様子を見て、驚いたと報告している。（神戸大学経済経営研究所新聞記事文庫）

43 「出張員（5）」JACAR（アジア歴史資料センター）Ref.C08021197100、大正7年、『公文備考』巻82 人事3（防衛省防衛研究所）

44 利子の兄、新助は太平洋戦争時、日本鋼管を退職して自ら志願して海軍嘱託として仏領インドシナのサイゴンに向かった。終戦後も戻らず、行方不明となった。現地で生存しているとの情報もあったことから、妹の山本ませ子は兄の消息を求めてベトナムを3度訪れている。

45 山本五十六は旧長岡藩士、高野貞吉の六男として生まれ、海軍兵学校時代の名前は高野五十六だった。海軍大学校在学中の1915年（大正4年）、明治維新で断絶した長岡藩家老の家系、山本家を再興、相続し、山本姓となった。

46 『火と燈』岸田蒔夫編、同文館、1917年、国立国会図書館デジタルコレクション https://dl.ndl.go.jp/pid/1901240

47 読売新聞、1918年10月8日付朝刊

48 2018年に東京・豊洲に移転した築地市場は1935年の開設である。1923年の関東大震災で日本橋の魚市場が壊滅した後、旧新橋駅（東京・汐留）に近く、隅田川の河口にあることから水運、陸運の拠点として恵まれた位置にあった旧外国人居留地の海軍所有地を借り受けて東京市が魚市場を設けた。当時、周辺には海軍関連の施設が集積していた。

49 東京朝日新聞、1921年8月23日付朝刊に「夫人はその後離縁になった」との記述がある。

50 The Nippon Club, 1881–2014, SETSUO KATO, Britain & Japan: Biographical Portraits, Amsterdam University Press, Renaissance Books, 2015

51 「第5話 達人―巽孝之丞」西山勉、『横浜正金銀行全史』第6巻、東京銀行編、1984年

52 大久保利通の八男で、妻の大久保喜子は高橋是清の次女。

53 リバプール・ジャーナル・オブ・コマース紙、1918年10月12日付

54 友人らがまとめた『故氏家洗耳君記念誌』（1920年10月17日）などによる

55 天皇陵などを管理する宮内省諸陵寮の長官職。

56 「出張員（4）」JACAR（アジア歴史資料センター）Ref.C08021197000 大正7年「公文備考」巻82 人事3（防衛省防衛研究所）、時事新報、1918年10月18日

57 『金融史談速記録』斎藤虎五郎、日本銀行、1966年 国立国会図書館デジタルコレクション https://dl.ndl.go.jp/pid/3016701

58 青木喬の父、青木往晴（もとはる）の生涯についてまとめたファミリーヒストリーを喬の甥に当たる青木大輔がまとめ、

1958年に自費出版している。

59 東京朝日新聞、1918年10月8日付朝刊

60 『製鉄研究』(150)、新日本製鉄株式会社技術本部技術企画管理部編、新日本製鉄、1936-09. 国立国会図書館デジタルコレクション https://dl.ndl.go.jp/pid/2340252/1/67

61 『日本商工録』大阪日本商工社編、1934年度、大阪日本商工社、1933年、国立国会図書館デジタルコレクション https://dl.ndl.go.jp/pid/1029515

62 一般社団法人日本洋菓子協会連合会のウェブサイトによると、日本で初めて欧州でお菓子作りの修行をしたのは東京・両国若松町の米津恒次郎氏とされている。1884年(明治17年)、米国からロンドン、パリに渡り、1890年に帰国した。

63 日本洋菓子協会連合会のウェブサイト(https://gateaux.or.jp/about/history/)などより。

64 前掲

65 「大英帝国における電信ケーブル網」古谷俊爾、板野敬吾、『中国学園紀要』2021年6月

66 もう一人の外国人船長は北野丸のE・C・コーク氏で、東京朝日新聞、1918年10月7日付朝刊は、日本郵船がその2年前に外国人船長をほとんど解雇した際にもフレイザー船長とコーク船長だけは残されたと報じている。

67 『船舶職員録』逓信省編、1899年

68 アバディーン・プレス・アンド・ジャーナル紙、1918年10月12日付。

69 フレイザー船長はこれに先立ち勲六等瑞宝章を授与されている、との記録もある。『明治期外国人叙勲資料集成』(梅溪昇編、思文閣出版、1991年)には、日清戦争での協力に対する叙勲として日本郵船の外国人船長や運転士ら220人以上の名前の記載がある。御用船として徴用された船の船長らとみられ、多くが勲六等瑞宝章である。本来であればフレ

イザー氏の名前も含まれているはずだが、確認できなかった。

70 運転士との職種は、1944年の船舶職員法改正で航海士に呼称が変更された。

71 『若き日の思い出』旧郵会編、1973年

72 英中部ミドルズブラ。船渠があり、日本郵船の定期貨物船が出ており、日本人街があった。

73 『本邦海運発展要史』浅原丈平、1958年、国立国会図書館デジタルコレクション https://dl.ndl.go.jp/pid/2503739

74 『内外商工時報』25（12）、商工省貿易局編、内外商工時報発行所、1938-12. 国立国会図書館デジタルコレクション https://dl.ndl.go.jp/pid/1517161、あるいは『無線』（5）、無線倶楽部、1919-01. 国立国会図書館デジタルコレクション https://dl.ndl.go.jp/pid/1555233。10月16日付のロンドン・アンド・チャイナ・エキスプレス紙には「生存者がおぼれるまで職務を離れなかった無線通信士の勇敢さをたたえた」という通信社電と思われる記事が載っている。だが、生存者が実際に無線通信士の姿を目撃していたとは考えづらい。

75 『日本無線史』第4巻（〔第3編〕無線事業史）電波監理委員会編、1951年

76 前掲

77 バーミンガム・メール紙、1918年10月11日付

78 『東茨城郡誌』下巻、東茨城郡教育会編纂、臨川書店、1986年、国立国会図書館デジタルコレクション https://dl.ndl.go.jp/pid/9643846

79 当時の司法制度では、裁判所に検察の機能もあった。大越四郎をかわいがったとされる検事正は、現在の最高裁に当たる大審院の検事も務めた常井誠一郎（1856～1916年）とみられる。

80 'The U-Boat Offensive 1914-45', V.E Tarrant, Naval Institute Press、1989年

81　前掲

82　日本語ではフルカンとして定着しているが、ドイツ語の発音ではヴルカンである。

83　第一次大戦、第二次大戦時のUボートに関するさまざまな情報を集めたウェブサイト「Uboat.net」より。

84　ヘルトヴィッヒの経歴はUBoat.netより。https://uboat.net/wwi/men/commanders/124.html

85　ハリッジの歴史に関するサイト、https://harwichhavenhistory.co.uk/ より。

86　'Coast Guard to mark 100th anniversary of one of World War I's largest U.S. naval combat losses' ワシントン・ポスト紙、２０１８年9月24日

87　ドイツ、オーストリア・ハンガリー帝国と「三国同盟」を結んでいたイタリアは当初中立を宣言したが、１９１５年５月に「三国同盟」を破棄して、連合国側について参戦した。

88　『第一次世界大戦　忘れられた戦争』山上正太郎、講談社学術文庫、２０１０年

89　日本は8月27日にオーストリア・ハンガリー帝国と国交断絶したが、宣戦布告はしなかった。

90　「第一次世界大戦開戦１００周年を迎えて——日本の関与を中心に」防衛研究所戦史研究センター国際紛争史研究室長石津朋之、『ＮＩＤＳコメンタリー』第38号、２０１４年1月24日

91　英国の帝国戦争博物館（ロンドン）のウェブサイトより。https://www.iwm.org.uk/history/battle-of-jutland-timeline　戦死者の数字については資料により異なる。

92　戦死日付で中佐に昇進。

93　戦死日付で大佐に昇進。

94　東京朝日新聞、１９１４年12月10日付朝刊

95 「全カナダ日系人協会」のサイト（http://najc.ca/）による。
96 『アラス戦線へ――第一次世界大戦の日本人カナダ義勇兵』諸岡幸麿著、えにし書房：復刻版、２０１８年
97 ロシア帝国が崩壊したのは１９１７年３月12日だが、ロシア暦で２月27日であることから「二月革命」と呼ばれている。「十月革命」も同様で、ロシア暦では10月25日だが、現在のグレゴリオ暦では11月７日である。
98 日本は１９２２年10月25日にウラジオストクから撤兵した。（「シベリア出兵からソ連との国交樹立へ」麻田雅文、『大正史講義』筒井清忠編、ちくま新書、２０２１年）。
99 『第一次世界大戦と日本海軍』平間洋一、慶應大学出版会、１９９８年
100 前掲
101 前掲
102 「第一次世界大戦に伴う被害に対する『救恤』、一九二五年」（井竿富雄『山口県立大学学術情報』第５号〔国際文化学部紀要　通巻第18号〕２０１２年３月）
103 「第一次世界大戦による被害に対する追加救恤、一九二九年」井竿富雄『第一次世界大戦とその影響』、軍事史学会、２０１５年
104 『欧州航路の文化史』橋本順光、鈴木禎宏編著、青弓社、２０１７年
105 『日本郵船株式会社百年史』日本郵船株式会社、１９８８年
106 前掲。ロンドン寄港は１８９９年、上海寄港は１９０２年に実現した。
107 その後、官立となり、東京商船学校と名称を変更、東京商船大学を経て、現在は東京海洋大学となっている。
108 「欧州航路の文学」橋本順光、『欧州航路の文化誌』（橋本順光・鈴木禎宏編著、青弓社、２０１７年）

109 『七十年史』日本郵船株式会社、１９５６年

110 『日本郵船株式会社五十年史』１９３５年

111 『八阪丸の最期』宇野素水、旭堂、１９１６年、国会図書館デジタルコレクション https://dl.ndl.go.jp/pid/948346

112 スエズ経由のルートが復活したのは休戦協定成立後の１９１８年12月である。

113 「ダズル迷彩」はドイツの潜水艦による英商船の被害を防ぐため、１９１７年に英海軍士官で画家のノーマン・ウィルキンソンによって考案された。

114 東京朝日新聞、１９１７年4月23日付朝刊

115 『郵船の思い出』游仙会、１９６２年

116 『日本郵船株式会社百年史』日本郵船株式会社、１９８８年

117 『本邦海運発展要史』浅原丈平、１９５８年、国立国会図書館デジタルコレクション https://dl.ndl.go.jp/pid/2503739

118 ８５２０トンは竣工時の総トン数で、沈没時の総トン数としては改測後の７９３５トンと記録されている。１９１４年（大正３年）に船舶積量測度法などの制定で、それまで１００立方尺を1トンとしていたものが１００立方フィートに変更になったことなどが、総トン数変更の理由と思われる。

119 『日本郵船船舶１００年史』木津重俊編、海人社、１９８４年

120 東京朝日新聞、１９０８年11月27日付朝刊

121 『老船長の回顧六十年』横山愛吉、髙橋南益社、１９３２年、国立国会図書館デジタルコレクション https://dl.ndl.go.jp/pid/1179562

122 東京朝日新聞、１９１５年5月21日付朝刊

123 「日本郵船会社社船の大戦独潜被害　大正八年一月調」、JACAR（アジア歴史資料センター）Rep.C08050113300、日本郵船会社　船の大戦独潜被害　大正八年一月調（防衛省防衛研究所）。スカボローは英国東岸にあるため、同じ東岸にある寄港地ミドルズブラに向かっていたか、ミドルズブラを出た直後だったとみられる。

124 （リバプール大のクリス・マイケル教授の個人サイト、アングルシー島北西部の港町、ホリーヘッド出身者の第一次大戦戦没者の記録を集めたサイト「Holyhead War Memorial The Great War 1914-1918」の2等機関士ロバート・ジョーンズに関する記述、ウェールズの遺跡や海事遺産などを紹介するサイト「Coflein」より。

125 『日本郵船株式会社渡航案内』日本郵船株式会社編、1916年、国立国会図書館デジタルコレクション https://dl.ndl.go.jp/pid/948469

126 『日本郵船株式会社給仕用英語会話書』日本郵船株式会社、1899年6月、国立国会図書館デジタルコレクション https://dl.ndl.go.jp/pid/871583

127 欧州滞在中に身ごもった四男にロダンの名前から「アウギュスト」と名付けた。アウギュストは後に「昱（いく）」と改名した。

128 6男6女のうち六男は生後2日で死亡している

129 「あれから五十年」服部忠直、『海洋』第655号、1969年1月

130 『海に生きるもの』須川邦彦、天然社、1942年

131 「平野丸にまつはる奇談」服部忠直、『科学画報』1936年8月号

132 『船の十日物語』児島義人、イデア書院、1927年、国会図書館デジタルコレクション https://dl.ndl.go.jp/pid/1189309

133 『海軍と海戦の話』（小学生全集）、藤井謙介、興文社、1928年、国会図書館デジタルコレクション https://dl.ndl.

go.jp/pid/1741572

134 『英文解釈の秘訣』佐藤正治、博文館、１９２８年、国会図書館デジタルコレクション https://dl.ndl.go.jp/pid/1025294

135 『尋常小学綴方教授書』巻3、芦田恵之助、育英書院、１９１８―21年、国会図書館デジタルコレクション https://dl.ndl.go.jp/pid/938445

136 「感染症流行時の心理反応に関する研究」、高橋良博、高橋浩子『駒沢大学心理学論集』２００９年、第11号、17―26

137 「軍艦矢矧流行性感冒に関する報告」JACAR（アジア歴史資料センター）Ref.C10080416900、大正6年2月7日以降、『矢矧戦時日誌』（防衛省防衛研究所）

138 東京学芸大学の母体の一つ。

139 東京朝日新聞、１９１８年10月30日付朝刊

140 フレイザー船長には息子が2人おり、ドナルトとは別の息子は平野丸遭難当時、英海軍の戦艦アイアンデュークで勤務する海軍少佐だったことが分かっている。

141 実はビニョンは日本ともゆかりがある。東洋美術の学者としても知られ、ロンドンの大英博物館に学芸員として勤務している間に、日本やペルシャの美術を英国に紹介した。現在の大英博物館の葛飾北斎のコレクションを築いたコレクターの一人だった。２０２２年春に東京・六本木のサントリー美術館で行われた大英博物館所蔵の北斎作品展でも紹介された。

142 ビニョンの原詩では「They shall grow not old」である。grow と not を入れ替えたこうした誤用が一般化している。映画でも意図的かどうかはさておき、通用している表現が採用されている。

❖ 著者紹介

島崎　淳（しまざき・じゅん）

1965年、宮城県生まれ。共同通信社記者。東京大学教養学部卒業後、1988年に入社。岡山、北九州、福岡の支社局、社会部を経て、99年外信部。エルサレム、バグダッド、カイロ支局長としてイスラエル／パレスチナ紛争やイラク戦争、「アラブの春」など中東情勢をカバー。2016年から19年までロンドン支局長として、英国のＥＵ離脱や日英関係を取材した。現在、経営企画局総務。

平野丸、Uボートに撃沈さる
第一次大戦・日英秘話

本体価格……二〇〇〇円
発行日……二〇二四年　四月一〇日　初版第一刷発行
著　者……島崎　淳
編集人……杉原　修
発行人……柴田理加子
発行所……株式会社　五月書房新社
東京都中央区新富二―一一―二
郵便番号　一〇四―〇〇四一
電　話　〇三（六四五三）四四〇五
FAX　〇三（六四五三）四四〇六
URL　www.gssinc.jp
編集／組版……片岡　力
装　幀……今東淳雄
印刷／製本……モリモト印刷　株式会社

ISBN: 978-4-909542-57-1 C0022

緑の牢獄　沖縄西表炭鉱に眠る台湾の記憶

黄（コウ）インイク著、**黒木夏兒**訳

台湾から沖縄・西表島へ渡り、以後80年以上島に住み続けた一人の老女。彼女の人生の最期を追いかけて浮かび上がる、家族の記憶と忘れ去られた炭鉱の知られざる歴史。ドキュメンタリー映画『緑の牢獄』で描き切れなかった記録の集大成。

１８００円＋税　四六判並製

ISBN978-4-909542-32-8 C0021

三階　あの日テルアビブのアパートで起きたこと

小説

エシュコル・ネヴォ著、**星　薫子**訳

舞台はイスラエル、どこにでもある普通の家庭の話なのだが……。小気味良いテンポで、サスペンス映画のように物語は進行する。それにしても、あの日あの場所で何が起きたのか？　そして感動のクライマックスへ！　イタリア映画『三つの鍵』の原作。

２３００円＋税　四六判並製

ISBN978-4-909542-42-7 C0097

ゼアゼア

小説

トミー・オレンジ著、**加藤有佳織**訳

分断された人生を編み合わせるために、全米各地からオークランドのパウワウ（儀式）に集まる都市インディアンたち。かれらに訪れる再生と祝福と悲劇の物語。アメリカ図書賞、ＰＥＮ／ヘミングウェイ賞受賞作。

２３００円＋税　四六判上製

ISBN978-4-909542-31-1 C0097

杉原千畝とスターリン

ユダヤ人をシベリア鉄道に乗せよ！　ソ連共産党の極秘決定とは？

石郷岡（いしごおか）**建**著

スターリンと杉原千畝を結んだ見えざる一本の糸。イスラエル建国へつながるもう一つの史実！　新たに発見された〈命のビザ〉をめぐるソ連共産党政治局の機密文書を糸口に、英独露各国の公文書を丁寧に読み解く。

３５００円＋税　Ａ５判並製

ISBN978-4-909542-43-4 C0022